L'AVENTURE DU
COMMERCE ÉQUITABLE

www.editions-jclattes.fr

Nico Roozen
et Frans van der Hoff
avec la collaboration de Corien van Zweden

L'AVENTURE DU COMMERCE ÉQUITABLE

Une alternative à la mondialisation
par les fondateurs de Max Havelaar

Traduit du néerlandais par Mireille Cohendy

JC Lattès

Cet ouvrage a été publié avec le soutien et la contribution de la Fondation pour la Production et la Traduction de la littérature néerlandaise.

Les éditeurs tiennent aussi à remercier M. Philippe Lukacs.

SOMMAIRE

Durant l'été 2000, le livre de Mohammed Yunus, *Vers un monde sans pauvreté*, sur la Grameen Bank au Bangladesh, nous arriva par la poste. Il était accompagné d'une lettre amicale de l'éditeur français J.-C. Lattès, qui nous demandait d'écrire un deuxième livre dans leur série consacrée aux initiatives novatrices dans le domaine du développement. Conçu sur le même modèle que l'ouvrage de Yunus, notre livre offrirait une description de l'histoire de Max Havelaar accompagnée d'une biographie des instigateurs. Nous nous sommes mis d'accord. Un an plus tard le livre est là. Écrit le plus souvent entre deux avions et grâce aux moyens de communication électroniques indispensables aux deux auteurs vivant chacun d'un côté de l'Atlantique.

Nous tenons à remercier Corien van Zweden pour la transcription des bandes enregistrées, ainsi que Roelf Haan et Bob Goudzwaard pour leurs suggestions et commentaires.

Ce livre ne prétend pas retracer toute l'histoire du mouvement du commerce équitable. De nombreuses initiatives ont été prises dans ce sens. Les auteurs se limitent ici à la description des activités d'UCIRI et de Solidaridad. Frans van der Hoff et Nico Roozen chacun à leur tour et à deux voix font le récit de leur histoire et d'un projet qui a abouti grâce à l'aide précieuse de toutes les personnes qui y ont participé. Notre époque ne connaît pas de prophètes, au plus des mouvements prophétiques. Si ce livre invite le lecteur à des actes de solidarité, nous aurons atteint notre objectif.

Oaxaca	Utrecht
Frans van der Hoff	Nico Roozen

PROLOGUE

UNE RENCONTRE DÉCISIVE

Tout a commencé au café-restaurant de la gare d'Utrecht. Nous sommes en 1985. Frans van der Hoff et Nico Roozen s'installent dans un coin, un peu à l'écart, afin de pouvoir discuter en toute tranquillité. Cette première entrevue devient vite un échange fructueux d'idées, de plans et de stratégies. Entre les tasses de café vides, on griffonne quelques mots-clés ; l'ébauche de ce qui va devenir le projet « Max Havelaar ».

Jusque-là, Frans van der Hoff et Nico Roozen ne se connaissent que par ouï-dire. Chacun d'eux, dans le cadre de son travail, est impliqué dans le combat contre la pauvreté. Ils fréquentent à peu près le même milieu, cependant ils ne se sont jamais rencontrés. Le prêtre néerlandais Frans van der Hoff vit au Mexique depuis 1973, où il lutte pour l'amélioration de la vie des paysans indiens producteurs de café. Aux Pays-Bas, Nico Roozen travaille depuis 1984 pour Solidaridad, organisation œcuménique d'aide au développement pour l'Amérique latine. Il a pour tâche de sensibiliser le plus de monde possible.

Ils échangent leurs expériences. Ils passent sans cesse des Pays-Bas au Mexique, des pauvres aux riches, du Nord au Sud. Frans partage la vie des petits producteurs de café au Mexique, Nico s'occupe des questions que l'on se pose dans les pays développés. Chacun d'eux représente une de ces deux parties du monde. Ils abordent bien sûr la question de la pauvreté. Une nouvelle alliance entre producteur et consommateur est-elle possible ?

Ils sont d'accord sur le principe de base : la pauvreté est une condition inacceptable contre laquelle il faut lutter. Mais comment ? Ils remettent en question la façon dont le problème a été traité jusqu'à présent. Ils ne croient pas aux grands projets de développement mis en place, ni à la vertu de dons épisodiques.

« Le problème de l'aide au développement, c'est qu'elle est fondée sur l'inégalité, dit Nico. Ce type d'aide, même s'il est accordé avec les meilleures intentions du monde, prive le bénéficiaire de sa dignité, en le condamnant à la passivité. De plus, l'argent facile des dons casse la dynamique sociale des communautés et engendre une nouvelle forme de dépendance. Nous voulons en finir avec ce genre de relations. Il faut instaurer des rapports d'égalité entre le Nord et le Sud.

— Il serait peut-être sage d'écouter ce qu'en pensent ceux qui vivent dans ce monde soi-disant sous-développé. »

Frans parle de son travail avec les petits producteurs indiens, dans les montagnes du sud du Mexique. L'un des porte-parole des paysans, Isaías Martínez, habite dans une maison délabrée au fin fond des montagnes du Juarez. Il appartient au peuple des Zapotèques et vit avec sa famille de la culture du café, tout comme ses ancêtres depuis des générations. Il travaille dur, mais ne gagne que 200 dollars par an, ce qui fait 60 cents par jour.

Isaías fait partie des deux milliards de personnes sur terre vivant au-dessous du minimum vital. Il pourrait, incontestablement, bénéficier d'un des nombreux projets d'aide au développement. Mais qu'en pense-t-il ? « Nous ne demandons pas la charité. Nous ne sommes pas des mendiants. Payez-nous notre café à un prix juste et nous n'aurons plus besoin de votre aide. » Par ces mots, il ne se contente pas de critiquer le système de l'aide au développement tel qu'il est conçu actuellement, mais il propose une alternative : « Organisons l'économie sur une base égalitaire. »

Pour Frans van der Hoff et Nico Roozen, Isaías Martinez touche du doigt le cœur du problème et offre ainsi de nouvelles perspectives. « Il a raison, s'exclame Nico. Il y a des siècles que l'on exploite les petits cultivateurs. Ils ont bien raison de réagir ainsi. Il faut trouver un nouveau système qui ne sera plus fondé sur l'aide des pays riches aux pays pauvres, mais sur une relation d'égalité : le commerce équitable. »

Isaías a posé le principe de base. L'économie devra être organisée de façon à offrir un revenu décent au producteur et à respecter l'environnement. Il faudra donc convaincre le consommateur d'en payer le prix.

La discussion s'emballe. La solution est à portée de main. Si le consommateur des riches pays nordiques était prêt à payer quelques dizaines de centimes de plus pour un paquet de café, la vie d'Isaías et des autres paysans en serait transformée. Quelques dizaines de centimes, cela ne devrait pas poser de problèmes. D'après Nico « L'important, c'est la qualité ! Si le café est bon et si le consommateur sait qu'il est commercialisé dans des conditions correctes, il acceptera sûrement de payer un peu plus, en revanche, il faut qu'il puisse l'acheter facilement. » Enthousiaste, Frans acquiesce. « Ça veut dire que le café de mes copains paysans serait en vente chez toi, au super-marché du coin. »

Voilà un point essentiel. Le café « éthique » était jusqu'à présent en vente, mais seulement dans les magasins spécialisés dans ce genre de produits. Il s'agissait de petites quantités, achetées par des organisations alternatives à des coopératives de paysans et vendues à un petit groupe de consommateurs déjà sensibles au problème. Pour Frans et Nico, il est clair que l'ouverture sur le circuit de distribution traditionnel représente la clé de voûte de leur stratégie.

Nico sort son bloc-note et commence à dessiner. « Le marché néerlandais est dominé par un seul agent. Avec une part de marché de 70 pour cent, le magnat du café, "Douwe Egberts", est tout-puissant. Je ne pense pas que ce soit à lui qu'il faille s'adresser pour nos projets. Pour que notre café soit distribué dans les supermarchés, je ne vois que deux solutions : ou nous lançons notre propre marque, ou nous aspirons à un label de qualité pour un café "éthique". » Un label de qualité qui pourrait servir à différents distributeurs.

Chacune de ces deux options comporte des risques, et leurs conséquences ne sont pas les mêmes. « Bien sûr, notre propre marque, ce serait formidable ! Mais il faudrait que Solidaridad monte sa propre société et en assume les risques financiers. Quel capital cela nécessiterait-il ? Disposons-nous des connaissances nécessaires pour nous lancer dans une telle aventure ? Les supermarchés auront-ils confiance dans notre entreprise ?

— Un label de qualité présente, à première vue, moins d'inconvénients. Dans ce cas, les torréfacteurs seraient responsables de l'achat, de la vente et de la qualité du produit et auraient leurs propres intérêts commerciaux, avance Nico.

— Pas mal ! Le label garantirait au consommateur un produit commercialisé dans des conditions correctes. D'ailleurs je tiens déjà le nom du label : "Max Havelaar"[1]. »

En choisissant ce nom, on l'associe immédiatement au personnage principal du célèbre roman de l'écrivain néerlandais Multatuli et à sa lutte passionnée pour la défense des droits des populations de l'ancienne colonie indonésienne. Frans acquiesce. « Le café Max Havelaar, pas de doute. C'est bon ! »

Un moment de silence. Les deux interlocuteurs s'observent. La discussion a été fructueuse. Le projet et les deux alternatives sont clairs et déjà sur le papier. Il est sage, pour le moment, de ne pas encore trancher entre les deux options. Il reste à se partager le travail. Frans va repartir au Mexique et devra s'assurer d'une production suffisante de café de qualité. Nico, lui, va se charger de concrétiser une des deux options aux Pays-Bas. Si tout se passe bien, le café « Max Havelaar » sera bientôt en vente dans les magasins néerlandais.

L'affaire est conclue. Maintenant au travail ! Loin l'un de l'autre, chacun va s'acquitter de sa tâche le mieux possible en espérant que l'autre en fera autant dans son pays. Ils ont tous deux conscience que cet engagement est lourd de conséquences. Pour mener ce projet à terme, il faut que chacun des deux tienne bon.

---

1. Max Havelaar est le titre du célèbre roman de l'auteur néerlandais Edouard Douwes Dekker, signant de son pseudonyme Multatuli (J'ai beaucoup souffert). Son héros, Max Havelaar, dénonce l'oppression des petits paysans dans l'ancienne colonie indonésienne. (*N.d.T.*)

FRANS VAN DER HOFF : VIVRE PARMI LES PAUVRES

Voilà vingt ans déjà que j'habite au Mexique. J'ai quitté Mexico-City en 1980 pour m'installer dans un village, dans le département d'Oaxaca, au sud du pays. Il était temps de partir, car la situation devenait trop dangereuse. La police m'avait menacé plusieurs fois : « Le curé, si tu n'arrêtes pas immédiatement tes pratiques subversives, tu y passes ! » Un jour, on vous coince en voiture et on vous met un revolver contre la tempe. Ces moments-là ne sont pas des plus agréables. L'évêque m'avait conseillé de mettre progressivement un terme à mon travail. Ça tombait bien ! Je commençais à en avoir assez de cette vie. Il fallait sans cesse être sur ses gardes et communiquer par codes. Chaque jour pouvait être le dernier.

De plus, je suis tombé malade : hépatite A. Alors, je me suis dit : « Maintenant, ça suffit ! » J'avais passé sept ans dans la mégapole, Mexico, moi qui n'ai pas l'âme citadine. J'avais envie de retourner à la campagne. C'est ainsi que je me suis retrouvé dans une vieille maison à Barranca Colorada. Personne, ici, ne savait que j'étais prêtre. Cela n'était pas grave. Je voulais vivre parmi les Indiens et travailler comme eux. Je suis prêtre-ouvrier et je dois donc me débrouiller pour gagner ma vie. J'ai commencé par acheter des vaches, des poules et par cultiver l'arachide. C'est ainsi qu'a commencé ma vie de paysan. Pour le reste, j'allais bien voir ce qu'on attendait de moi.

TRAIRE LES VACHES

Je connais bien la vie de la ferme. J'ai grandi, littéralement, sous les vaches. À l'âge de cinq ans, j'ai appris à traire. Plus on est jeune, mieux on apprend. Ma mère était la meilleure trayeuse de la famille, personne ne la battait, mais je me débrouillais bien moi aussi. À huit ans, je faisais ma journée, comme les autres. On se levait à 4 heures pour traire. Après on se lavait et avant d'aller en classe, on se rendait d'abord à l'église. Le matin, il y avait un service spécial pour les enfants. C'était une introduction à la foi, que maintenant j'appellerais peut-être de l'endoctrinement. Je n'en garde pas un mauvais souvenir. C'était normal en ce temps-là. L'école catholique était rattachée à l'église. La foi faisait partie intégrante de la vie, à l'école comme à la maison. Tout en était imprégné.

Je suis né en 1939, dans le Brabant septentrional. J'étais le sixième d'une famille de quinze enfants. Nous avions quelques vaches à lait et nous cultivions des céréales, des pommes de terre et des betteraves. Nous étions en fermage. Le propriétaire, un aristocrate à l'ancienne, nous regardait de haut, nous autres, simples paysans. Il descendait de l'illustre famille des Roelvinks, qui avait beaucoup fait pour l'aménagement de la région. C'était un bon vivant, qui aimait un peu trop la bouteille. Il habitait au « Lidohotel » à Amsterdam. Cela me fascinait. Être riche au point de pouvoir passer toutes ses nuits à l'hôtel ! Cependant, il ne pouvait continuer impunément à mener cette vie de luxe et de débauche. Pour financer son style de vie, il lui fallut vendre ses biens. C'est ainsi qu'en 1950, mon père a acheté la ferme. Mes parents avaient été invités à dîner au Lido, et entre la poire et le fromage, le propriétaire griffonna le prix de vente sur un coin de la nappe. Il demandait beaucoup pour les bâtiments, mais vendait les terres pour trois fois rien. Il n'avait aucune idée des prix et aucun intérêt pour l'agriculture. Mes parents devinrent donc propriétaires des terres qu'ils travaillaient et occupaient depuis presque vingt ans.

Ma famille est d'origine frisonne. Mon père et ma mère sont nés tous les deux dans cette région. Même après des années dans le Brabant, nous continuions à parler le frison à la maison. Lorsque mon père devint conseiller municipal du KVP (Parti catholique populaire) il fit son discours dans un néerlandais teinté de frison. Cela n'étonna personne car la moitié de la population du Brabant venait d'autres régions. Avant d'aller s'installer dans cette région, mes parents avaient une exploitation en Frise, sur la digue entre Sloten et Stavoren : une laiterie d'une trentaine de vaches. Mes trois frères et sœurs aînés y ont vu le jour.

Mes parents voulaient partir pour diverses raisons. La terre était pauvre, mais ce n'était pas le pire. Il n'y avait pas d'école catholique dans le coin. C'est pourquoi ils ont décidé d'« émigrer » dans le Brabant. Le voyage de quatorze heures fut périlleux. À pied, ils sont allés à la gare, suivis de leurs trente vaches — une marche de quatre heures environ — puis, avec les bêtes, ils ont pris le train à vapeur. Bien qu'on eût trait les vaches juste avant le départ, les six heures de voyage semblèrent bien longues à ces pauvres bêtes. Elles étaient collées les unes aux autres dans la pénombre du wagon à bestiaux et leurs pis devenaient de plus en plus douloureux. Elles meuglaient à fendre l'âme. Lorsque, enfin, on les libéra à Boxmeer, elles avaient encore quatre heures de marche jusqu'à la ferme. Certaines n'en pouvaient plus. Elles refusèrent d'aller plus loin et se couchèrent sur place. Il a fallu les traire avant de pouvoir poursuivre notre route.

Dans le Brabant, notre « première » mère est morte en couche du cinquième enfant. Le bébé était mort-né. Mon père s'est remarié et de sa deuxième femme, Frisonne elle aussi, il a eu onze enfants, dont je suis l'aîné. Les liens avec la Frise étaient très forts malgré la distance, car une grande partie de la famille, les grands-parents, les oncles et les tantes y demeuraient encore. Tous les deux mois, mes parents faisaient ce long trajet pour rendre visite à mes grands-parents. Les enfants, sous la tutelle des grands frères, s'occupaient alors de la ferme. Nous passions toutes les vacances d'été dans la famille. Ce n'était pas vraiment des vacances. Nous devions aider à traire tout comme à la maison, mais j'adorais cette vie. Je suis vraiment de la campagne, j'ai ça dans le sang. Tous les enfants de la famille sont devenus paysans. La plupart sont restés dans le Brabant. Mes sœurs ont toutes les trois épousé un paysan de la région et mes deux frères qui ont émigré aux États-Unis vivent de la terre eux aussi. L'un d'entre eux possède une immense exploitation de plusieurs milliers de vaches. En ce qui me concerne, je suis enchanté d'habiter de nouveau à la campagne depuis 1980. J'ai malheureusement dû vendre mes bêtes, car mon état de santé ne me permet plus de m'en occuper.

LES ANNÉES DE GUERRE

Mes premiers souvenirs se rapportent à la guerre. En mai 1940, nous nous trouvions sur la ligne de front et nous avons été évacués. Je n'en ai aucun souvenir, mais pour mes parents ça n'a pas dû être chose facile avec leur nombreuse marmaille. Mon père a dû abandonner ses vaches. Il a souvent raconté comment il allait en douce à la ferme pour les traire. L'opération était périlleuse, mais il ne pouvait se résoudre à les abandonner à leur sort. Après la capitulation, nous avons heureusement pu rentrer chez nous. Durant la guerre, notre maison a vu défiler un grand nombre de clandestins : des jeunes d'Amsterdam appelés au travail obligatoire, des déserteurs allemands. Nous, les enfants, n'avions qu'une vague idée de la situation. Les clandestins étaient logés dans un abri dissimulé par de la paille, normalement réservé aux cochons. Le jour, ils aidaient mon père dans les champs, comme des journaliers. Ils se sauvaient dans les bois dès que les Allemands passaient par là. Durant cette période, ces derniers avaient installé un poste de contrôle dans la pièce de devant. Notre maison se trouvait apparemment à un point stratégique car, à la libération, les Anglais en ont fait autant.

Je me souviens très bien qu'un jour un chasseur allemand s'est écrasé derrière chez nous. Mon frère qui posait des pièges dans le bois d'à côté l'a vu tomber. Le moteur s'était détaché. C'est nous qui l'avons enlevé. Il a fallu creuser un trou profond. Je suis allé voir l'épave. Je n'oublierai jamais la vision du pilote. Son corps était entièrement calciné, mais sa montre marchait toujours. Un mois plus tard, c'est un avion de transport anglais qui s'est écrasé. Il y a eu des morts là aussi, mais l'endroit a été hermétiquement fermé et nous n'avons rien vu. De temps en temps, des alarmes résonnaient. Les fenêtres de la maison et des écuries étaient obscurcies par du papier noir, je m'en souviens très bien. En le soulevant un petit peu, on apercevait au loin les boules de feu des v1 et des v2. J'étais fasciné.

À la fin de la guerre, nous nous sommes trouvés

encore une fois sur la ligne de front. À un moment donné, notre territoire fut libéré, alors que le village d'Overloon, à 7 kilomètres, était encore occupé. Pendant la bataille, les Anglais restèrent postés chez nous. Nous leur vendions du lait en échange de cigarettes et de nourriture. Les tanks traversaient la cour et les champs pour, de chez nous, tirer sur le village voisin. Après la bataille, nous, les gosses, avons ramassé les cartouches vides. Je ne comprenais pas qu'ils nous les laissent. Nous en avons rempli nos poches et avons joué avec pendant des mois. Le chemin qui conduisait chez nous était complètement détérioré par les tanks. Après le repli des Allemands, les Anglais arrivèrent avec leurs engins. On regardait le défilé incessant des colonnes de tanks. Le chaos, les morts et les ravages de la guerre, ça ne s'oublie pas.

Durant mon enfance, j'ai connu la pauvreté. Cette expérience m'a sûrement influencé dans mes choix ultérieurs. Lorsqu'en 1980, j'ai fait la connaissance des Indiens, petits producteurs de café dans le sud du Mexique, leur dénuement ne m'a pas choqué. Chez moi, nous n'étions pas riches non plus. Le plus souvent, pour le repas du soir, nous nous contentions d'une simple bouillie de flocons d'avoine. Les vêtements passaient de l'un à l'autre jusqu'à ce qu'ils soient usés jusqu'à la trame. Nous n'avions jamais connu autre chose et nous n'en avons pas souffert. Chez les autres, c'était pareil. Après la guerre, je suis allé passer quelques jours chez d'anciens clandestins que nous avions hébergés. Ils habitaient à Amsterdam. Pour la première fois de ma vie, j'ai été ébloui par l'opulence. C'était en période de fêtes : Noël et la Saint-Nicolas. Je n'avais jamais vu de cadeaux. J'étais en admiration devant toutes ces belles choses qui ne m'appartiendraient jamais. Elles étaient étalées à portée de main et en même temps totalement inaccessibles.

Mon père dit que c'est grâce à la guerre que nous nous en sommes sortis. Avant, il était tellement pauvre qu'il avait été obligé de vendre une partie de ses bêtes. Mais pendant la guerre, le lait, les céréales et les pommes de terre se vendaient bien. Cette période a fortement influencé ma vision du monde. Quelques années plus tard, nous avons fait une excursion à Nimègue. Nous étions dans le tramway, dans les environs, et nous avons longé la frontière. Mon père a dit : « Regarde, de l'autre côté, ce sont des Allemands. » Je me souviens comme si c'était hier du mélange de peur et de colère qui s'est emparé de moi. Nous grandissions tous avec cette image de l'ennemi, c'était naturel, et chez nous, la peur des Allemands était profondément ancrée.

À la maison, les enfants étaient élevés comme de bons petits catholiques. À dix ans, j'avais décidé de devenir prêtre. Ce choix n'était pas tant le fruit de ma ferveur religieuse, vu que je comprenais à peine ce que racontait le curé — nous parlions le frison à la maison — mais, plutôt celui de l'image respectable que j'avais de ce métier. J'étais un élève doué. À force de m'ennuyer à l'école, je devins récalcitrant au point qu'on me fit sauter une classe. J'étais donc encore très jeune en fin de primaire, au moment de choisir une orientation. Les recruteurs des différentes congrégations défilaient à l'école et faisaient grande impression sur moi. Plusieurs prêtres du Sacré-Cœur habitaient notre village. Il était donc logique de choisir cette congrégation. À la maison, on riait de ma vocation. « Toi, le curé-intello », me lançait mon frère lorsque, vêtus de nos salopettes, nous trayions les vaches. Mes parents, eux, me soutenaient, tout en me laissant libre de choisir. Ils m'ont toujours dit : « C'est à toi de décider de ta vie. » Je n'ai jamais remarqué à quel point ils étaient contents de mon choix, ce n'est que lorsque j'ai été ordonné prêtre que je les ai vus « fiers comme Artaban ».

J'entrais donc à douze ans, comme interne, au petit séminaire d'Helmond, pour y suivre un enseignement classique. Les premiers temps furent difficiles, les miens me manquaient terriblement. Le fils de paysan frison se retrouvait tout à coup parmi les enfants de la ville. Je ne leur ressemblais pas, je ne parlais pas comme eux, j'étais issu d'un monde totalement différent du leur. Mes camarades de classes méprisaient les « culs-terreux », et ne se privaient pas de me le faire sentir. C'était la première fois que je découvrais la rivalité entre ville et campagne à laquelle j'allais être plus tard si souvent confronté. Je regrettais la vie en famille et en plein air. Heureusement, l'école était juste à l'extérieur de la ville et il y avait une ferme. C'est ce qui me permit de tenir le coup.

La vie au séminaire était soumise à de nombreuses règles de conduite. Chez nous, dans une famille de quinze enfants, on ne faisait pas tout ce qu'on voulait non plus, mais au séminaire, la discipline était encore plus stricte. Il y régnait un ordre militaire et les journées étaient réglées jusqu'à la minute. Nous passions de longs moments agenouillés dans l'église. Durant la promenade, à quarante, en rangs par deux, il ne fallait surtout pas s'aventurer à lancer le moindre regard à une fille. Malgré tout, je ne garde pas un mauvais souvenir de cette période, même s'il m'est arrivé parfois de douter. J'y ai appris la discipline, c'est une chose certaine. Cette ambiance militaire n'était peut-être pas très saine pour des enfants, pourtant je n'en éprouve aucune rancœur. Dans le contexte de l'époque, c'était tout à fait normal. Ceci dit, ma génération fut la dernière à connaître cette vie. Après nous les choses ont changé. J'étais l'un des plus jeunes de ma congrégation. Il n'est pas sûr que d'autres reprennent le flambeau.

Pour beaucoup de mes camarades, ç'en était fini du séminaire. J'hésitais. Après mon bac, je m'estimais trop jeune pour faire mon noviciat. Je décidai donc d'aller étudier l'histoire à l'université de Nimègue et à la fin de ma première année je partis au service militaire. Je fus placé à l'école des officiers de réserve. On nous affirmait que cette formation rassemblait l'élite de la nation. Je ne me sentais pas du tout à ma place. Je détestais l'ambiance militaire et le dressage dont nous faisions l'objet. Un beau jour, j'ai jeté ma mitrailleuse à la tête du commandant. Les vexations qui nous étaient imposées avaient eu raison de mes nerfs. Bien sûr, je venais de tout gâcher. On m'a envoyé à la prison militaire pendant deux semaines et pour ce qui était de ma carrière d'officier, je pouvais mettre un trait dessus. On m'a mis à l'administration, j'en étais bien soulagé. C'est ainsi que j'ai terminé mon service.

Durant cette période, l'idée du séminaire a resurgi. J'étais amoureux d'une jeune fille charmante et pourtant je n'ai pas renoncé à mon choix initial. Je savais déjà que je voulais devenir missionnaire. Mes motifs n'étaient pas des plus nobles. J'avais envie d'aventure et c'était pour moi une manière de découvrir le monde sans prendre trop de risques. Bien sûr, j'avais aussi des mobiles d'ordre altruiste : je voulais faire le bien, mais c'était avant tout l'inconnu qui m'attirait. J'avais beaucoup lu sur les missions. Je me souviens en particulier d'un livre sur une mission en Tanzanie. Pour moi, c'était synonyme d'aventure et le côté exotique me plaisait aussi. Rapidement, ma décision fut prise : j'entrerai dans les ordres et je deviendrai missionnaire. Grâce à cela j'eus le privilège de quitter le service militaire quelques mois plus tôt. En 1961 j'entrai en noviciat à la congrégation des prêtres du Sacré-Cœur à Asten. Au début, j'eus du mal à m'habituer. De longues heures étaient consacrées à la méditation et à l'introspection. L'austérité de cette vie religieuse ne me plaisait guère, mais j'ai survécu, grâce aux tâches qu'on m'avait confiées à la ferme et qui me permettaient de m'octroyer des moments au grand air. On m'avait également confié les soins d'un vieux prêtre irascible, que personne ne pouvait plus supporter. J'étais sauvé. Ces tâches compensaient les sévères pratiques religieuses auxquelles j'avais tant de mal à me soumettre et m'offraient une activité ardue mais concrète. J'ai beaucoup appris. Curieusement, je m'entendais assez bien avec cet homme et je l'ai accompagné jusqu'à sa mort.

Au début, nous étions une classe de novices assez importante : une trentaine. Tous, nous étions contaminés par l'air du temps. Le latin ne nous semblait pas vital et nous remettions en cause les règles qu'on nous imposait. Beaucoup d'entre nous abandonnaient. Bientôt, sur les trente, il n'en resta que sept. Notre maître était dépassé par les événements. Quelle épreuve pour lui que de voir ces jeunes novices imiter les Beatles ! J'avais l'impression que tous les gars bien partaient et que moi je restais avec les ratés. J'étais confronté à un dilemme. Mes amis s'en allaient, pourquoi rester ? Finalement, ce genre d'épreuve est bénéfique. Elle vous oblige à faire le point sur vos motivations réelles et à prendre des décisions mûrement réfléchies. Chacun doit faire ses propres choix. Je suis resté en me disant que si je quittais le séminaire, je n'aurais plus aucune influence, j'en serais exclu.

J'ai fait mes vœux provisoires et je suis allé étudier la philosophie au Grand Séminaire près de Breda. Tout en m'adaptant au système, je cherchais sans cesse à repousser les limites qui m'étaient imposées. Je me souviens que, lisant Freud, je fus surpris par le recteur. C'était l'un des livres marqués en rouge et donc, réservés aux professeurs.

En rusant un peu, il était facile de mettre la main sur ce genre de littérature, or j'étais avide de lecture, je voulais tout savoir.

Au bout de trois ans, j'allais poursuivre mes études à Nimègue et je me débrouillais pour étudier la théologie à l'université et non pas au séminaire. J'avais commencé l'année comme interne, mais très vite je trouvai une chambre à louer et je me jetai dans la vie estudiantine. Formellement, je n'avais plus de liens avec le séminaire, mais je ne l'avais pas quitté non plus. Je me posais beaucoup de questions sur la vie au couvent. Nous avions fait promesse de pauvreté et nous vivions dans l'opulence. On m'a laissé faire. Le séminaire n'avait plus prise sur moi. Nous vivions une époque tourmentée : celle du deuxième concile du Vatican. Au séminaire, on a sûrement pensé que j'allais abandonner, comme la plupart de mes camarades. Eh bien non. On se trompait.

J'ai pris un job dans une usine de confiture. Comme j'avais de bons résultats à l'université, j'ai vite obtenu une bourse, mais pour mes sorties, il me fallait un peu d'argent de poche. Ces années ont été intenses et riches d'enseignements. J'ai découvert Marx et j'ai participé au mouvement pour l'aide au tiers-monde, pour le Vietnam, et suivi les cours de Tinbergen, prix Nobel d'économie. Mes préoccupations étaient parfois bien éloignées de la théologie, mais je vivais une époque formidable. L'imagination fut effectivement au pouvoir. Nous avons occupé l'université et pris contact avec les ouvriers de Groningen. Nous nous rendions régulièrement à Paris, à Berlin et à Heidelberg. Mais dans le monde de la théologie, les choses bougeaient aussi. Le mariage du professeur exégète Grossouw nous a énormément impressionnés. Son livre, *Innerlijk leven* (La Vie intérieure), faisait figure de référence pour tout religieux et cet homme, justement, démissionnait et se mariait, remettant tout en cause. Nous étions ravis.

Cette vie riche de nouvelles expériences et d'un foisonnement d'idées ne me conduisit pas cependant au rejet du christianisme. Au contraire, ce que je perdais en dévotion, je le gagnais en profondeur. Nous soumettions la théologie aux feux de la critique et nous tentions d'en extraire l'essentiel : qu'est-ce que le vrai christianisme ? Un homme comme Schillebeeckx a eu une grande influence sur moi. Nous étions tout un groupe d'étudiants à jeter un regard critique sur la théologie, mais parmi eux, j'étais le seul à avoir une formation de prêtre. Mes camarades venaient d'un tout autre horizon et leurs préoccupations n'avaient aucun rapport avec les miennes. Nous vivions dans des mondes différents.

Finalement, j'ai dû affronter les vraies questions. Devais-je continuer dans la voie de la théologie ? Est-ce que je voulais toujours devenir prêtre ? Durant ces années mouvementées, j'étais resté en contact avec le recteur du séminaire. Il n'était pas du tout progressiste et avait des idées bien arrêtées, ce qui provoquait des discussions passionnées entre nous. C'était ce que je recherchais. Malgré tout ce que j'avais découvert en participant au mouvement étudiant, la prêtrise, et la mission surtout, m'attiraient toujours. J'ai consulté un psychologue pour parler de mon choix et m'assurer qu'il reposait sur des bases solides. J'avais vingt-huit ans. Je savais que ce choix serait décisif et que personne ne pouvait le faire à ma place. Dans la fonction de prêtre, c'était surtout l'idée de dévouement qui m'attirait et la mission me semblait la meilleure façon de la concrétiser. Mon engagement dans le mouvement pour le tiers-monde n'avait fait qu'attiser mes espoirs. C'était la forme séculière de la mission. Je décidai donc de me faire ordonner prêtre.

Je fus ordonné en 1968. Je rentrais de Tchécoslovaquie où le Printemps de Prague venait d'éclater. À peine sorti de cette ambiance révolutionnaire, je m'étais rendu directement chez les Trappistes à Tilburg, pour une retraite. Ensuite il y avait eu le sacre avec tout le tralala. Les chevaux et les jeunes filles en blanc, toute la mise en scène romantique. Je me serais bien passé de tout cela, mais j'ai laissé faire. Si ça plaît à d'autres, tant mieux pour eux, tout cela fait partie du décorum. Pour les miens, c'était un grand jour. J'étais le premier de la famille à être sacré prêtre. Même ma grand-mère maternelle, âgée de quatre-vingts ans, s'était déplacée pour l'occasion. L'évêque Kraemer a présidé la cérémonie. Il avait consacré de nombreuses années de sa vie à la mission, en Chine. Il avait été fait prisonnier et on lui avait enfoncé des clous dans la langue. Depuis, il zozotait. La cérémonie était donc entièrement sous le signe de la mission et cet homme était la preuve que l'engagement pour les pauvres pouvait conduire à la répression sous toutes ses formes. Dans ma vie ultérieure, autant au Chili qu'au Mexique, j'en ferai l'expérience au quotidien, mais en ce jour de fête de 1968, je ne le savais pas encore.

Durant l'été 1969, j'ai passé ma maîtrise de théologie avec mention très bien. J'y traitais du mouvement pentecôtiste au Chili. C'était un travail purement théorique, fondé sur une recherche littéraire. J'étais impatient d'aller voir sur place et heureusement j'en eus rapidement l'occasion. La même année, on me proposa une chaire à l'université d'Ottawa, au Canada et je m'organisai pour grouper tous mes cours sur un semestre de façon à pouvoir passer les autres six mois au Chili, afin d'y effectuer mes recherches.

J'ai beaucoup appris à Ottawa, davantage en dehors des murs de l'université qu'à l'intérieur. Je travaillais comme volontaire dans un centre d'accueil pour drogués,

Halfwayhouse. Je fus surpris de constater que les jeunes qui étaient accueillis dans ce centre étaient tous, sans exception, issus de familles aisées. Comment ces jeunes à l'avenir prometteur en étaient-ils arrivés là ? Comme si toute une génération s'était égarée. Leur parcours était souvent dramatique et dans un cas sur deux se terminait par un suicide. Quel sentiment d'impuissance face à cette situation ! Là-bas j'ai appris à connaître les autres. J'ai réalisé que dans le domaine affectif, le séminaire n'avait pas été la meilleure école. L'ambiance y était surtout répressive. J'avais donc des lacunes sur le plan des rapports humains. Là, l'essentiel est l'affection. Il fallait voir au-delà des masques et à être patient. J'ai appris à écouter sans chercher à précipiter les choses.

LES BIDONVILLES

Durant les trois mois d'été de 1970, je suis allé au Chili dans le cadre de mes recherches. J'ai découvert là-bas les *barrios*, les immenses bidonvilles de Santiago du Chili. C'était très différent de ce que j'avais imaginé. La vue de la misère et de la pauvreté ne m'a pas choqué. Il régnait une grande effervescence et beaucoup d'optimisme, il y avait énormément à faire et à apprendre. De nombreux intellectuels en exil s'y étaient réfugiés durant ces années-là. On trouvait toutes sortes de livres à un prix dérisoire. Je lisais tout ce qui me tombait sous la main. Les discussions allaient bon train. Comment interpréter le socialisme ? Quel est le sens du travail ? À quoi ressemble la vie dans les *slums,* comment y organiser la population ? Nous nous posions toutes ces questions à la fois. Nous voulions la révolution, mais comment ? Comment s'organiser ? Personne n'en avait la moindre idée.

La gauche était très divisée. Je fréquentais des groupes qui souhaitaient la révolution et critiquaient le président socialiste Allende. Ils rejetaient la voie légale et constitutionnelle de ce dernier, qu'ils traitaient de « bourgeois ». Ce qui me frappait, c'était la violence des rivalités qui les opposaient. On s'insultait en public. J'entrevoyais les dangers d'une société fractionnée, où les conflits ne cesseraient de faire rage. Moi, je me trouvais entre les diverses tendances, je tentais de concilier, de rassembler, rôle que je devais jouer tout au long de ma vie et, dans cette situation, ce n'était pas chose facile.

De plus, j'étais confronté aux divergences au sein de l'Église. Je cohabitais avec des membres de ma congrégation. Une partie d'entre eux travaillerait dans les bidonvilles. Nous avions choisi de nous engager du côté des pauvres. Mais la plupart préférait fermer les yeux et aller s'enterrer dans une riche paroisse, dans les quartiers résidentiels. Je me demandais comment l'Église pouvait être aveugle à ce point. C'est pourtant au sein de cette même Église, dont la majorité était extrêmement conservatrice, que je rencontrais les personnes les plus engagées et les plus inspirées. La situation était paradoxale et on ne peut plus déroutante. Qui, au juste, représentait « l'Église » ? De plus, j'avais du mal à définir ma position en tant que chercheur. J'étais toujours fourré dans les *barrios,* je discutais avec les pauvres et m'efforçais de comprendre leur vie et leur lutte. Mais moi-même, je n'avais pas de point d'ancrage, je ne faisais pas partie d'un tout. J'avais un poste confortable à Ottawa, j'allais reprendre l'avion et m'installer derrière un bureau. Cette idée me déplaisait. J'avais l'impression que jamais je ne comprendrais vraiment le monde de la pauvreté et que je n'en ferais jamais partie.

Puis il y eut le coup d'État de 1973. Allende fut assassiné et les militaires prirent le pouvoir, sous les ordres du général Pinochet. En tant que prêtre de gauche, je n'avais plus qu'à fuir. Ce jour-là, je me trouvais au nord du Chili et, en quelques heures, je pus gagner le Pérou. À Santiago, bon nombre des membres de ma congrégation ont été rapatriés aux Pays-Bas par l'Ambassade. La plupart d'entre nous ressentaient un profond dépit. « Notre » Église prenait ouvertement le parti des militaires. Cette constatation était extrêmement pénible. Beaucoup, déçus, ont quitté l'Église à ce moment-là. J'ai hésité. Est-ce que je voulais continuer à avoir affaire à ces gens-là ? Comme par le passé, je me suis dit que si je quittais l'Église je n'aurais plus aucun pouvoir. Je la laissais aux mains des conservateurs. Je ne pouvais m'y résoudre. J'ai donc choisi, encore une fois, de rester, malgré mon dépit et ma colère. Partir serait toujours possible, mais à ce moment-là justement, il y avait à faire pour les esprits critiques. S'ils partaient tous, la partie serait réellement perdue.

LA FUITE

Comme beaucoup de Chiliens, je me suis réfugié au Mexique. Je connaissais du monde dans ce pays et j'y avais déjà séjourné. Mon intérêt pour le Mexique datait de 1968, au moment de la répression de la révolte estudiantine du 4 octobre. L'armée avait été mobilisée pour disperser la foule. Selon les sources, le nombre de morts oscillait entre deux cents et plus de mille. Lorsque j'arrivai en 1973 à Mexico, la situation était sans issue et la lutte sans merci. Il y avait une forte répression et en même temps un large réseau de groupes de guérilla qui résistaient par tous les moyens. Bien sûr, je me retrouvai du jour au lendemain dans la résistance jusqu'au cou.

Entre-temps mon contrat à Ottawa était arrivé à terme, et je devais gagner ma vie puisque j'étais prêtre-ouvrier. J'ai commencé comme vendeur de chaussettes ambulant. Ce ne fut pas une réussite. Je n'étais pas très doué et je gagnais trois fois rien. Bientôt, il ne me resta que mon passeport. Heureusement je finis par trouver un emploi chez Ford, où je fabriquais des essieux. Quelque temps après, je m'investissais dans l'imprimerie que nous montions. Avec des dons de Londres et du Canada, nous publiions de la littérature de gauche et nous imprimions des posters et des affiches pour les opposants du Nicaragua. Je donnais des cours dans un séminaire œcuménique et je commençais à travailler comme prêtre dans les bidonvilles.

J'ai habité toutes sortes d'endroits : des cabanes, des petites piaules, une mansarde en haut d'un immeuble, un réduit chez un ami paraguayen. Le lieu m'importait peu, pourvu que j'aie un toit.

Le travail ne manquait pas dans les bidonvilles. Officiellement, ces derniers dépendaient de la paroisse, mais le prêtre ne s'y risquait jamais. L'Église en était pratiquement absente. Donc je me suis mis au travail. Le dimanche, la messe avait lieu en plein air, sur les tas d'ordures : quelques pierres les unes sur les autres faisaient office d'autel. Le quartier passa rapidement de 20 000 à 120 000 habitants, et le nombre de fidèles pendant les messes augmenta lui aussi. Un jour, nous avons invité l'évêque pour qu'il donne la confirmation à un groupe de fidèles. Il a fait son entrée dans le bidonville dans une belle voiture avec chauffeur. Elle s'est vite enlisée et elle est restée bloquée au milieu des détritus. Les portes et le capot étaient maculés de boue. L'évêque, en soutane, jetait des regards désespérés en direction des flaques d'eau et ne se résignait pas à mettre pied à terre. Un groupe d'hommes se précipita, sortit illico le pontife de la voiture et le déposa derrière l'autel improvisé. Ce dernier n'avait jamais vu un bidonville de près et était extrêmement ému de se retrouver là, entouré d'une foule immense piétinant dans la boue. Il s'en souviendrait longtemps !

Au cours de ces années-là, je me suis plongé dans les théories du philosophe italien, Gramsci. Elles m'aidaient à mieux comprendre la réalité culturelle et idéologique. Au Chili, je m'étais déjà posé beaucoup de questions sur le fonctionnement d'une institution telle que l'Église. Pour lui, l'Église, comme la culture, font partie de la superstructure de la société. L'infrastructure est formée par le processus économique du travail, les capitaux et les moyens de production. Entre les deux, il y a la classe moyenne servant de zone tampon entre les groupes sociaux. On y trouve les dirigeants, c'est-à-dire les politiques et l'armée. Nous discutions pendant des heures, car nous avions une immense soif de modèles pour nous aider à avoir prise sur le monde qui nous entourait. Nous nous posions beaucoup de questions sur le rôle de l'Église, apparemment toujours du côté du pouvoir, et sur la façon dont elle se servait de la bible pour justifier l'ordre établi. Pouvait-il en être autrement ? Certains tentaient de trouver de nouvelles interprétations aux textes bibliques, une version plus satisfaisante. Il s'agissait là d'un acte révolutionnaire ; la bible était libérée de l'emprise de l'Église officielle, les pauvres se l'appropriaient.

LA POLICE SECRÈTE

J'étais très occupé durant ces années-là, j'appartenais à toutes sortes de groupes et j'étais impliqué dans toutes sortes d'actions. Cependant, la situation devenait dangereuse. Deux fois déjà, les services secrets m'avaient menacé. Je devais cesser immédiatement mes activités subversives, sinon gare à moi. Ce n'était pas des menaces en l'air. Beaucoup de gens étaient éliminés et de nombreux amis avaient déjà disparu. Je ne voulais pas prendre plus de risques. L'Église compte déjà suffisamment de martyrs, elle a davantage besoin de prophètes. C'est à ce moment-là que j'attrapai la jaunisse et que je dus me reposer. L'évêque de Guernavaca, que je connaissais bien, vint me rendre visite alors que j'étais alité. Je lui avouai que j'étais très fatigué et que j'aimerais retourner à la campagne. « Va à Tehuantepec », me dit-il. Je n'avais aucune idée de l'endroit où ce village pouvait bien se trouver. Il m'expliqua que c'était une région intéressante où vivaient des communautés autochtones. L'évêque de Tehuantepec était un homme ouvert d'esprit, il y aurait suffisamment à faire pour un prêtre comme moi. Ma curiosité était piquée au vif.

Dès que je fus rétabli, je décidai de bouger. Tehuantepec se trouve au sud du Mexique, dans l'État d'Oaxaca. Dans cette région, 80 pour cent de la population est autochtone. À ce moment-là, je ne savais pas grand-chose de leurs problèmes. Sur une population totale de 100 millions d'habitants, le Mexique compte environ 18 millions d'Indiens appartenant à 50 peuplades différentes avec chacune sa langue et ses traditions. Ce n'est plus qu'une fraction de la population d'origine. Des chercheurs ont recensé environ 139 langues indiennes disparues, ce chiffre n'est pas exhaustif. On distingue aujourd'hui trois grands groupes de langues. Le plus important — 1,7 million de personnes descendant des Aztèques — est le Nahua. Il y a environ 1 million de Mayas et 500 000 Zapotèques.

C'est surtout avec ces derniers que j'allais vivre, mais il y avait aussi des tribus Nahua comme les Mixes, les

Miztèkes et les Chontales. En secret, j'allai faire un tour dans la région pour voir si je pourrais m'y adapter. Elle me plut, en effet. J'allais vivre à la campagne et m'installer comme paysan. C'était exactement ce dont je rêvais. Je pris contact avec l'évêque de Tehuantepec, Arturo Lona Reyes, et je reconnus en lui l'homme ouvert dont on m'avait parlé. En cinq minutes l'affaire fut conclue. Le village de Barranca Colorada, près de la bourgade Ixtepec, serait mon point de chute.

C'est là que, aujourd'hui encore, je vis et je travaille, parmi les producteurs de café. L'organisation des paysans en coopérative au sein d'UCIRI donne une nouvelle orientation à ma vie. Lorsqu'en 1985, Nico Roozen a rendu visite à UCIRI, au nom de Solidaridad, nous posions les bases de ce qui allait devenir le projet Max Havelaar et nous travaillions à une nouvelle conception des rapports Nord-Sud.

Les véritables initiateurs du projet Max Havelaar sont les paysans indiens qui nous ont dit : « Nous ne voulons pas de vos dons. Nous ne sommes pas des mendiants. Un réel soutien consisterait à nous payer un prix plus juste pour notre café. » Pour moi, ces mots expriment le cœur du problème, tant d'un point de vue théologique, qu'économique.

Les pays riches ont longtemps abordé le problème Nord-Sud selon le modèle du donateur généreux et du pauvre reconnaissant. Sous couvert de générosité, on justifiait un système économique bancal. On achète sa bonne conscience en faisant un chèque et en omettant d'analyser les véritables causes de la pauvreté, de l'exploitation et de l'exclusion. Notre modèle d'expansion économique fondé sur le désir d'accumuler toujours plus de biens matériels n'est pas remis en cause. Les pays riches prétendent tout simplement que leur système économique est le meilleur.

Les paysans d'UCIRI rejettent catégoriquement ce modèle, ouvrant ainsi la voie à de nouveaux rapports économiques. C'est une question de respect. Il en va de leur dignité. Le point de vue de ces paysans a déterminé tout ce que j'ai fait par la suite. Leurs idées correspondaient aux miennes. Non seulement sur le plan théologique, mais également sur le plan économique, je suis persuadé qu'ils ont raison. L'aide sous forme de dons entretient des rapports économiques et humains faussés. Je ne parle pas des petits dons personnels, gestes de solidarité toujours bien accueillis. Ceux-là ne sont pas liés à des conditions et l'argent est donné en toute liberté.

Ce sont les fonds distribués par les organismes d'aide au développement ou par les gouvernements qui sont remis en cause. Qu'on accorde plutôt des crédits à des taux intéressants. Les dons substantiels déstabilisent la dynamique sociale. On le voit lors des catastrophes naturelles. Bien sûr, l'argent est nécessaire à l'aide d'urgence et à la reconstruction, mais les aides sont accompagnées de longues procédures bureaucratiques et elles mettent toujours beaucoup de temps à se mettre en place. Ce sont presque toujours les banques et les églises qui sont reconstruites en premier.

Même si elles sont accordées avec les meilleures intentions du monde, les aides financières condamnent le bénéficiaire à la passivité. Je me méfie des solutions ne faisant intervenir que l'argent. L'important est de traiter l'autre comme un être indépendant, un sujet. Si le groupe cible n'est pas réellement impliqué dans le processus, il n'en résultera rien de bon. Les personnes en jeu doivent décider elles-mêmes du contenu d'un projet, de la façon et du rythme auquel il sera mis à exécution. C'est ce que, dans le débat actuel sur le développement, on appelle *ownership*.

L'IMAGE DE L'HOMME

Derrière mon idée de l'homme en tant que sujet se cache une théorie anthropologique en contradiction totale avec l'idée occidentale de l'homme. La philosophie occidentale prend l'individu comme point de départ. Chaque être possède une identité qui lui est propre, représentée comme un cercle clos. L'homme est enfermé entre les murs de son moi. Pour que tous ces individus se côtoient sans trop de problèmes, on a érigé des lois et des règles de vie permettant de réguler les rapports des « moi » entre eux.

Cette image ne correspond pas à celle qui résulte de mes expériences. L'homme construit son identité à partir de ses relations avec autrui. Il est le fruit de ces relations. C'est à travers elles qu'il devient ce qu'il est. Ce processus n'est jamais achevé, l'homme est donc en perpétuelle évolution... Le réseau de relations auquel il appartient fait partie de ce processus ; l'homme vit par ses relations avec autrui et engendre ainsi la vie. Il s'agit de liens qui vont plus loin et sont plus profonds que les relations d'affaires. Dans notre société, ces dernières, qui instaurent des relations de concurrence entre les hommes, sont devenues les plus importantes.

J'ai appris à considérer l'homme comme le centre des relations qu'il entretient avec les autres et vice versa. Il s'agit d'un échange. Schématiquement, on pourrait représenter l'individu comme un point d'où partent toutes sortes de lignes vers les autres. Non pas un cercle, mais plutôt une étoile. Les lignes s'entrecroisent en permanence et de différentes manières. L'homme ne devient digne de ce nom que s'il prend conscience des relations qu'il entretient avec autrui. Il devient ainsi partie du « nous ».

Cette conception de l'homme engendre toutes sortes

de conséquences. En le considérant non comme une identité fermée, mais comme un être en constante interaction avec les autres, on ne peut faire de lui un objet passif. L'autre est automatiquement sujet. Son sort me concerne, il signifie quelque chose pour moi. De façon tantôt négative, tantôt positive, mais toujours en interaction. En ignorant la relation à l'autre, qu'elle soit souhaitée ou non, on en fait un objet que l'on peut traiter n'importe comment. Il en résulte exploitation, exclusion, répression, discrimination ou pire.

J'ai puisé ces idées sur les relations humaines à différentes sources : chez Erich Fromm, Ivan Illich, Emmanuel Levinas, Albert Camus et même Milan Kundera, qui, lui, les aborde du côté négatif avec beaucoup d'acuité. On les trouve par ailleurs dans la Bible, dans le Coran et autres textes sacrés. Saint Jean, par exemple, utilise l'image du cep de vigne dont les hommes seraient les sarments. Pour saint Paul, la société est le corps dont nous sommes les membres. Le corps ne peut fonctionner sans eux et les membres ne peuvent rien sans le corps. Ces images conduisent à une conception de l'homme tout autre que celle du postmodernisme.

Les Indiens ont également une conception relationnelle de l'homme. L'idée que ce dernier a besoin des autres pour réaliser quelque chose est profondément ancrée chez eux. Ils unissent leurs forces dans la lutte contre les influences extérieures et le pouvoir de l'État qui tente de les faire marcher droit. La révolte indienne dans l'État mexicain du Chiapas est née de l'idée que les relations humaines doivent changer fondamentalement. Si du moins nous voulons construire une société fondée sur des rapports décents entre les hommes.

L'une des caractéristiques de la révolte des Zapatistes

du Chiapas est une colère longtemps contenue contre leur exclusion permanente en tant que groupe. Ils sont capables de transformer cette colère en sagesse. Ils plaident inlassablement pour leur programme : ils ne souhaitent pas la lutte, mais la collaboration, ils demandent la démocratie et le respect de leur culture. Ces revendications sont gênantes pour un système politique qui ne considère les hommes que comme des producteurs et des consommateurs. Le mouvement zapatiste réclame d'autres valeurs : il souhaite une société ouverte les intégrant tout en respectant leur dignité.

LA RÉCIPROCITÉ

Pour les paysans indiens d'UCIRI aussi, les relations humaines sont primordiales. Dans les meilleurs moments ou dans les pires, la vie est toujours faite de relations communautaires. Ils portent cela en eux. C'est la force de ces liens qui leur a permis de résister pendant des siècles aux éléments étrangers et destructeurs.

C'est pourquoi l'hospitalité est une valeur essentielle chez les Indiens. On se doit d'accueillir celui qui frappe à sa porte. On sait que l'on sera traité de même en retour. Cette notion de réciprocité est primordiale dans la culture et la religion des Indiens. Le don est fondé sur l'idée de réciprocité. Ce qui gêne le plus les producteurs de café dans le modèle de l'aide qui leur est octroyée, c'est la non-réciprocité. Ils ne veulent pas se contenter de recevoir, ils veulent aussi donner ; non seulement leur café, mais aussi leurs idées, leur conception de l'homme et leur respect de la nature.

Dans les symboles dont s'inspire UCIRI, on retrouve l'idée de relations humaines. Ce n'est pas pour rien que nous avons choisi le slogan : « Ensemble, nous gagne-rons. » Le symbole d'UCIRI est un homme et une femme qui se tendent la main. Le label Max Havelaar sur les paquets de café signifie : ce produit, nous l'avons obtenu ensemble dans le plaisir et dans la joie. L'un des slogans de UCIRI est : « Le bonheur ne s'achète pas et jamais il ne se brade. On le crée ensemble. »

L'idée de plaisir est quelque chose qui me manque aux Pays-Bas. La culture est impersonnelle, dure et en même temps elle est sombre, austère. Je me souviens d'une délégation de paysans qui s'y était rendue, et au retour, ils avaient déclaré : « Dans ce pays, on ne rit pas. » Tout le monde pense que la pauvreté rend triste. Ce n'est vrai qu'en partie. Je vis depuis des années au Mexique. J'habite dans une bicoque et j'ai toujours les pieds dans la boue. Je ne possède qu'un bout de terrain avec du maïs, des plants d'arachide et quelques bêtes. Je m'occupe de mes poules et de mes vaches et je vis de 15 francs (2,29 euros) par jour. Pourtant je ne me suis jamais senti pauvre. Ma vie est passionnante et si les paysans chantent en marchant dans la montagne, malgré leurs dures conditions de vie, cela en dit long sur leur façon de voir les choses.

LA PEINE ET LA DOULEUR

Nous avons ici, dans les montagnes au sud du Mexique, une autre conception de la peine et de la douleur. Je parle de la douleur au sens large : individuelle, sociale, culturelle et même spirituelle. « Celui qui ne connaît pas la douleur n'est pas un homme », disent les paysans d'UCIRI. La douleur fait partie de la vie. Elle est inévi-table et ne disparaîtra jamais complètement. En Occident, on fait tout pour éviter la souffrance et pour s'en préserver.

Et, bien qu'on n'y parvienne pas tout à fait, on essaie de l'exclure le plus possible de notre vie.

Dans la culture indienne, on n'essaie pas de repousser ou de nier la tristesse et la souffrance. Ce n'est pas possible. On essaie donc d'en faire quelque chose de positif.

Les paysans d'UCIRI ont eu leur part de malheurs. Ils ont connu les tueries, la prison, ils ont enterré leurs morts. Cependant, ils l'ont fait ensemble et ensemble ils ont tenté de rendre cette souffrance bénéfique. Cela me rappelle le personnage du docteur dans *La Peste* de Camus. Les gens lui demandent : « Docteur, qui vous a appris tout cela ? » et il répond : « La souffrance ! Elle apporte la sagesse, la connaissance de quelque chose de fondamentalement humain. »

Cela ne signifie pas qu'il faille se résigner à souffrir. Bien sûr, il faut continuer à lutter contre la souffrance portant atteinte à la dignité. Mais l'essentiel est ce qu'on en fait, comment on réagit. Par le désespoir ou au contraire en y puisant de nouvelles forces ?

L'INACCESSIBLE DIEU

Dans la plupart des cultures, la conception de la douleur est liée à des éléments religieux. Dans la culture indienne, le culte a toujours occupé une place importante. Lorsque je suis arrivé dans les montagnes mexicaines, j'ai été surpris de découvrir les représentations divines de la plupart des Indiens. Dieu est pour eux une puissance sévère et inaccessible. Par le biais de son personnel — les saints — il applique des punitions à ceux qui ne respectent pas ses lois sévères. Mais, ce même Dieu apporte son réconfort et intervient si la situation devient insoutenable.

Pour les Indiens, Dieu est l'autorité suprême. La

misère et la souffrance auxquelles l'homme est quotidien-
nement confronté lui ont été imposées en guise de punition. Dieu veut maintenir l'ordre. Les rituels doivent être
respectés, les fleurs chaque jour renouvelées. Celui qui se
soustrait à ces règles sera châtié. Comme ils considéraient
leur pauvreté comme une punition de Dieu, les Indiens
n'envisageaient pas d'explication plus réaliste. Ils ne
comprenaient pas que c'était sans la complicité de Dieu
que les marchands leur extorquaient jusqu'à leur dernier
centime.

La religion des Indiens est ambivalente. D'une part,
il faut respecter strictement les règles, sous peine d'être
puni. Il vaut mieux être dans les bonnes grâces de Dieu et
des demi-dieux. D'autre part, on a le droit d'exprimer sa
détresse. Les Indiens se plaignent à Dieu de leur situation,
de la famine et de la misère. Ils lui réclament du pain, des
soins et un travail décemment rémunéré. Ils revendiquent
le droit à l'éducation, à la liberté et à la dignité.

Au début, j'ai eu du mal à comprendre les différents
aspects et les contradictions de la religion des Indiens.
D'un côté, il y a la figure du père autoritaire, en arrière-
plan mais toujours présent. En même temps, il y a la
déesse mère inquiète et qui tente de recoller les morceaux
là où elle peut. Je ne savais comment combiner ces images
contradictoires.

Dans l'ensemble, les paysans n'ont pas le choix. Ils
se plaignent à un Dieu inaccessible car il est beaucoup trop
dangereux de le faire auprès de ceux qui sont responsables
de la situation. Les paysans osent à peine se révolter contre
les acheteurs qui les exploitent et les fonctionnaires cor-
rompus du gouvernement local ou fédéral. L'histoire leur
a appris que les manifestations sont réprimées par l'armée.
Les structures sociales sont ainsi faites qu'il vaut mieux se
résigner et se plaindre le moins possible sur le manque

d'infrastructure élémentaire, comme l'eau courante, l'électricité et les soins, car on ne ferait qu'aggraver son cas.

La religion de ces Indiens exploités reflète leur réalité quotidienne. En observant dans les églises et les chapelles les saints patrons et les images pieuses, j'ai beaucoup appris sur la vie dans les villages. Pour comprendre les symboles, il m'a fallu me plonger dans la sémiotique et la linguistique et appliquer ces connaissances aux conditions de vie de ces gens. J'en ai tiré un instrument opérationnel qui m'a permis, à travers les images pieuses et les cierges, de voir et de comprendre leur situation.

À L'ÉCOUTE PENDANT CINQ ANS

Progressivement, j'ai opposé à l'image d'un Dieu répressif celle d'un autre Dieu. Dans des réunions au cours desquelles nous tentions de comprendre la situation socio-économique, l'image d'un Dieu père fouettard fut remplacée par celle d'un Dieu humain et compatissant. En même temps, les villageois s'organisaient pour aborder les problèmes du commerce du café. Le message était clair : Dieu n'a pas voulu ce que vous vivez. Vous avez le droit de vous organiser et de vous révolter.

Nous tentions de nous rapprocher de ce que j'appelle la ligne maternelle de leur religion. La personne de Jésus prenait forme également, le Christ comme une sorte d'envoyé du ciel, de prophète et le fils de Dieu. Les histoires bibliques étaient notre source d'inspiration. Jésus s'intéressait à tous, il défendait les faibles et les pauvres, leur donnait à manger et à boire et les guérissait. Les puissants de l'époque ne lui savaient pas gré de choisir le côté des pauvres. On peut considérer la vie de Jésus comme une critique de l'ordre établi, tant sur le plan politique que religieux. Jésus connaissait la souffrance. Il a uni le peuple, il l'a rendu fort et puissant. Les Indiens se sentaient concernés. Ils se reconnaissaient dans les faibles et les pauvres. Mon rôle dans tout cela n'était pas celui du prêtre qui vient prêcher la vérité. Je préfère le comparer à celui d'une sage-femme. Les idées viennent des gens. Je ne fais qu'assister à leur avènement. Pour cela il faut savoir écouter et interpréter les signaux. Jan Bluyssen, l'ancien évêque de Bois-le-Duc, m'a, un jour, donné un conseil qui m'a servi plus tard dans les montagnes du Mexique. « Avant de prendre la parole, il faut avoir passé cinq ans à écouter. » Je l'ai mis en pratique.

La psychologie en matière de religion m'a permis de comprendre la logique des personnes opprimées, infantilisées et marginalisées qui consiste à imaginer un Dieu approuvant cette situation. Pour ces paysans exploités, Dieu était comme les marchands, la police, les soldats ou les fonctionnaires de l'État ou des banques. Mais Dieu ne correspondait pas entièrement au monde des profiteurs. Parfois, Dieu envoyait ses saints qui tenaient un tout autre discours. L'histoire de Jésus crucifié, cloué au pilori. C'était une autre version de l'histoire. Ce Dieu-là n'accepte pas que le peuple soit maltraité.

Je n'avais qu'une idée floue de la vie des Indiens à travers l'image de ce Dieu changeant, aux visages contradictoires. La souffrance était pour eux l'élément le plus important de la religion. C'est pourquoi, le vendredi saint était plus important que Pâques. Ils s'identifiaient davantage au Christ souffrant qu'au Christ ressuscité. Après tous les rituels et les cérémonies nocturnes de la semaine sainte, le jour de Pâques, ils reprenaient le travail. Ils considéraient Jésus comme un ami, comme un camarade dans la lutte. Il a succombé à l'oppression et à l'exploitation, mais il a trouvé une issue. Ils reconnaissent leur histoire dans la sienne. C'est pourquoi les paysans d'UCIRI disent : « Dieu est avec nous. » C'est aussi pourquoi l'œcuménisme est important, les chrétiens de tous horizons sont les bienvenus. Au sein d'UCIRI, des chrétiens catholiques comme des protestants sont impliqués, sans que cela ne soulève aucun problème dans l'organisation.

DE LA CORNE AUX MAINS

Durant les premières années que j'ai passées dans les montagnes du sud du Mexique, j'ai surtout écouté. Je voulais savoir comment les paysans interprétaient leur situation et comment ils voyaient leur vie par rapport à Dieu. Je me tenais en retrait. Pour subvenir à mes besoins, je devais travailler dur sur ma petite propriété. J'ai délibérément choisi la vie de prêtre-ouvrier ou peut-être devrais-je dire de prêtre-paysan gagnant son pain. L'homme a deux mains, pas seulement pour écrire et pour bénir, mais surtout pour travailler. La corne aux mains est une bonne chose, même si elle les rend rugueuses.

Après quelque temps, j'ai fait le lien entre mes expériences de vie parmi les paysans indiens et mes idées théologiques. J'ai fini par écrire une thèse. Ce projet a lentement pris forme. Le matin, en m'occupant des vaches, j'avais les idées claires. J'étais en forme, le jour ne faisait que commencer. En trayant, on a tout loisir de réfléchir. J'avais toujours un bout de crayon et un morceau de papier sur moi pour prendre des notes. Au bout d'un certain temps, j'avais un paquet de feuilles maculées de lait. Je les accrochais au mur avec des clous et y jetais un coup d'œil de temps en temps.

Un beau jour, j'ai étalé tous mes bouts de papiers autour de moi. Le moment était venu de s'atteler à la tâche.

J'ai raccordé entre elles mes idées éparses et en trente jours ma thèse était prête.

En 1992, j'ai soutenu ma thèse à Nimègue. Je l'avais intitulée : « Organiser l'espoir. La théologie des paysans indiens » (*Organizar la Esperanza ; teologia india rural*, Kok, Kampem. 1992) J'y faisais une analyse de la situation économique des producteurs de café et de leurs pratiques religieuses et je tentais d'établir une relation entre les deux. J'ai décrit comment le processus socio-politique auquel les paysans avaient participé dans le cadre d'UCIRI, lorsqu'ils luttaient pour commercialiser leur café dans des conditions équitables, avait eu des répercussions sur leurs idées religieuses.

J'étais très ému de passer ma thèse. Je revis de nombreux amis. Il me fallait prouver, face à des professeurs, que la cause des Indiens n'était pas désespérée. L'évêque Ernst et un paysan d'UCIRI étaient avec moi pour me seconder. L'évêque « Humberto » Ernst est très aimé des paysans d'UCIRI auxquels il a rendu visite à deux reprises.

Finalement, on me remit mon doctorat sur lequel figurait mon nom en grosses lettres. Je l'ai tendu aussitôt au paysan d'UCIRI qui se trouvait à mes côtés : « J'ai écrit ce livre, c'est pourquoi mon nom y figure. Cependant, le contenu ne m'appartient pas. Il appartient aux paysans d'UCIRI. Il vous appartient. La seule chose que j'ai faite c'est de le rédiger. » C'est ce que je pensais et je n'ai pas changé d'avis.

Dans ma thèse, j'ai tenté d'expliquer ce que l'on pourrait appeler l'âme de la culture indienne. Il s'agit de la vie et de la pensée des producteurs de café et de leurs familles. Je cherche à faire, dans ce livre, une analyse de leur situation socio-économique et en même temps le compte rendu de leur patrimoine culturel et de leur religion populaire. La voie que les paysans d'UCIRI ont suivie a engendré une dynamique nouvelle. La ligne qu'ils élaborent est en totale contradiction avec la pensée occidentale sur le progrès. En considérant ma thèse, avec dix ans de recul, je pense qu'il serait bon de la nuancer par endroit. Mais dans l'ensemble, je peux dire que ce livre a contribué à une meilleure connaissance des relations entre la religion populaire et la lutte sociale.

UNE BUREAUCRATIE PAPERASSIÈRE

L'économie et la culture, l'économie et la foi sont étroitement liées dans la vie des paysans d'UCIRI. Par exemple, depuis 1983, nous nous sommes de plus en plus intéressés à la culture organique du café. L'écologie n'a pas pour nous une dimension purement économique, elle fait partie d'un concept beaucoup plus large qui englobe aussi l'aspect religieux.

La Commission européenne de Bruxelles vient d'ériger des lois pour l'agriculture organique. Ces règles sont adaptées au secteur du marché des produits biologiques. Pour obtenir un certificat, un paysan doit prouver qu'il n'emploie ni engrais chimiques, ni pesticides et qu'il applique les méthodes de l'agriculture biologique. Dans le cas du café, ce sera l'utilisation d'arbres pour l'ombre, la fertilisation du sol avec un composte organique, ou si cela est nécessaire, l'aménagement de terrasses. Le paysan doit disposer de papiers prouvant qu'il cultive d'après les méthodes prescrites.

Pour une organisation comme UCIRI, qui compte quelque trois mille paysans, il n'est pas facile d'obtenir un certificat. De plus, la bureaucratie est telle que parfois on se demande si c'est bien de la protection du consommateur et de l'environnement qu'il s'agit. À cela s'ajoute le coût élevé des démarches.

Les paysans ne comprennent pas que pour l'obtention d'un certificat, les papiers semblent beaucoup plus importants que la plante de café dont il s'agit. Pour eux, l'essentiel n'est pas là. Ensemble, nous nous sommes fixé nos propres règles, qui vont plus loin dans le respect de la nature que les critères élaborés à Bruxelles. Il n'y a pas que la loi du marché qui prime. Nous voulons des rivières propres, le retour des oiseaux, bref, une terre propre. Nous partons du principe que nous travaillons avec la nature. Elle nous donne un sac de café et nous nous efforçons de lui rendre son énergie, pour que l'année suivante elle produise encore plus.

C'est d'ailleurs ainsi que les choses se passent. Avant, nous récoltions environ cinq sacs de café par hectare. Depuis que nous appliquons la culture organique, nous récoltons jusqu'à douze sacs pour la même surface. Cependant, pour nous, l'argument économique n'est pas primordial. L'essentiel est de laisser à nos enfants et à nos petits-enfants une terre intacte et toujours plus belle. C'est le seul bien que nous leur transmettrons. Dans la culture indienne, on appelle la nature « mère nature ». Une mère, on ne l'exploite pas, on en prend soin.

La culture biologique exige un changement de mentalité. Dans la culture traditionnelle tout tourne autour de l'expansion, de la croissance et de l'accroissement des bénéfices. C'est pourquoi il faut mettre le plus de plants de café possible sur un morceau de terrain. En coupant tous les arbres et tous les buissons, on peut mettre dix mille plants sur un hectare. La production par hectare est alors optimale, mais au bout de sept à huit ans, le sol devient stérile.

La culture biologique relève d'une méthode totalement différente. Les premières années ne sont pas rentables. On ne cherche pas à accroître, mais à améliorer. Les paysans d'UCIRI plantent mille à deux mille plants de café par hectare, parmi d'autres sortes de végétation dont les grands arbres qui procurent de l'ombre. Cela semble peu, comparé aux dix mille plants de la culture intensive. Mais si le paysan prend bien soin de ses plants, il sera largement récompensé. Il fera l'économie des engrais chimiques et le plant qui produisait un kilo et demi, donnera alors deux fois plus.

Le café d'UCIRI a non seulement amélioré la situation sociale des paysans, il a également amélioré la situation écologique de la région. Notre café est un produit de qualité, obtenu dans le respect de la nature. Nous en voulons donc un prix correct. Nous ne sommes pas de « pauvres » paysans réclamant des mesures spéciales de protection des prix, mais des producteurs fiers de leur produit qui s'adressent à des consommateurs sensibles à une approche humaine et écologique.

UN « NOM » SUR LE MARCHÉ

Tout à coup, un groupe de producteurs de café entre sur le marché et décide de changer les règles du jeu. Selon les lois en vigueur, nous devrions attendre passivement de voir combien nous rapporte notre café. Le prix résulte du jeu de l'offre et de la demande. « Max Havelaar » adapte le marché et en définit les règles. Les acteurs sortent de l'anonymat. L'offre n'est plus faite par des paysans inconnus. Elle est faite par des coopératives de café affiliées à l'association Max Havelaar. La demande vient du consommateur : un consommateur qui, non seulement recherche un café de qualité, mais qui plus est, veut en connaître l'origine. Il veut la garantie d'un produit cultivé de façon écologique et dans des conditions décentes. Le consommateur est sorti lui aussi de l'anonymat, il s'organise sous la bannière des consommateurs de produits Max Havelaar. Par le marché, des liens se créent entre producteurs et consommateurs.

Au sein du marché traditionnel, cette relation a disparu. Le consommateur ignore que, dans un pays lointain, un paysan a travaillé pour lui fournir ce produit. Le paysan, à son tour, n'a aucune idée de ce que va devenir le fruit de son labeur. En sortant de l'anonymat et en engageant un dialogue, ils peuvent, ensemble, prendre des décisions : si le consommateur désire ce produit et que le paysan doit en vivre, le prix sera de tant.

Max Havelaar définit les règles du jeu. Des règles que les différents acteurs définissent ensemble et en toute liberté. On acquiert sa liberté en prenant des responsabilités. En droit, on dit que la liberté s'arrête là où commence celle d'autrui. Cette règle devrait également s'appliquer à l'économie. Les paysans d'UCIRI redéfinissent l'idée de marché « libre » en lui redonnant son sens initial.

Nico Roozen : un engagement auprès des pauvres

Mon tout premier déplacement, dans le cadre de ma fonction actuelle, a été à l'origine des nouvelles idées qui devaient aboutir à l'initiative Max Havelaar. Au printemps de 1984, j'étais entré comme collaborateur au service de Solaridad, organisation interconfessionnelle de développement pour l'Amérique latine. Un peu plus tard, on m'envoya passer quelques mois au Salvador, au Mexique et au Nicaragua pour me permettre de me familiariser avec le terrain. Ce voyage très riche a été aussi mon baptême du feu : c'était la première fois que je mettais les pieds dans un pays du tiers-monde.

J'ai commencé mon itinéraire à San Salvador, où j'ai été immédiatement confronté aux problèmes de développement. On était en 1985 et la répression atteignait son paroxysme. La guerre civile faisait rage et l'élite pratiquait une véritable politique de génocide à l'encontre du peuple. Cinq ans auparavant, on avait assassiné Oscar Romero, évêque progressiste. J'étais hébergé par une communauté de religieuses engagées, courageuses et rayonnantes. J'ai appris, quelques années plus tard, qu'elles avaient été tuées. Nous avons appris également l'assassinat des jésuites, avec parmi eux le père Elliacuria, un de mes amis. La répression et la terreur étaient à l'ordre du jour.

Les actions violentes ponctuaient mon voyage au Salvador. De nuit, les coups de feu fusaient de partout dans les rues de la capitale ; de jour, je voyais filer les voitures blindées des escadrons de la mort. J'avais avec les partenaires de Solidaridad des rencontres exaltantes. Le courage et la persévérance de mes compagnons me frappaient, mais j'avais peur. Durant ma semaine à San Salvador, je n'ai pas dormi une seule nuit. Tendu en permanence, je dressais l'oreille à l'écoute des coups de feu tirés tout près et au loin. Tout ce que j'avais vu et entendu pendant la journée tournait sans fin dans ma tête. J'étais à la fois mort de fatigue et tout à fait éveillé. La semaine fut éprouvante et, sain et sauf, je quittai ce pays avec soulagement, pour me diriger vers l'étape suivante : le Mexique.

UNE AIDE DEVENUE INUTILE

En arrivant au Mexique, je respirai. Si ce pays était lui aussi en proie à la répression, elle était en tout cas moins perceptible. L'espace politique paraissait moins restreint. Le combat économique l'emportait ici sur le combat politique. Les coopératives paysannes étaient nombreuses et actives, elles tentaient — souvent avec succès — de changer les rapports de force des structures économiques. Leurs représentants évitaient la confrontation politique directe avec les détenteurs du pouvoir, sachant qu'ils avaient tout à y perdre. *Esquiver pour sauvegarder*. Ils essayaient d'échapper à la bipolarisation d'une guerre civile. Au Mexique, j'ai entendu dire pour la première fois qu'il ne fallait pas s'engager dans la lutte armée quand on ne pouvait pas protéger les civils de la répression qui s'ensuivrait. Cette façon de voir était nouvelle pour moi. À l'époque, on croyait en une victoire sandiniste au Nicaragua. Les organisations populaires du Salvador et du Guatemala comptaient elles aussi vaincre par la lutte armée et la révolution populaire. Cette stratégie a conduit à d'immenses bains de sang, comme nous le savons aujourd'hui. La population a payé un lourd tribut. Je connais au Salvador des gens qui ont opté à contrecœur pour la guérilla, faute d'alternative. Des personnes de bonne volonté qui se trouvaient le dos au mur. Tant de violence avait déferlé au-dessus de leur tête qu'ils ne voyaient pas d'autre issue.

Je trouvais intéressant de constater qu'au Mexique, on essayait de provoquer des changements de manière pacifique. Il me semblait qu'une lutte sociale de cette nature faisait apparaître des dirigeants différents de ceux que mettait au-devant de la scène la révolte armée. La violence libère souvent des forces destructrices, même dans son propre camp. Dans la situation mexicaine, on voyait se profiler au premier plan des gens ouverts, intègres et généreux alors que la guérilla faisait la place belle aux plus durs des machos. Je me sentais plus proche de ce que je voyais au Mexique.

Au cours de mon premier déplacement, je fus assailli par toutes sortes d'impressions. Après des années d'études et d'engagement au sein de groupes d'actions, je me trouvais pour la première fois plongé dans la réalité de l'oppression, de la violence et de la misère. Je me trouvais nez à nez avec des gens qui les subissaient au quotidien. Je n'oublierai jamais ma rencontre avec un groupe de petits producteurs de café du sud du Mexique : des paysans indiens vivant dans une grande pauvreté ; ce qui ne les empêchait pas d'avoir une opinion bien arrêtée sur la coopération. Au début, alors qu'ils montaient leur coopérative caféière, l'aide qu'ils avaient reçue de Solidaridad était bienvenue. Mais maintenant qu'ils avaient mis sur pied une organisation interne, ils demandaient simplement un prix équitable pour leur café. C'était pour moi une nouvelle façon de voir les choses. Aux Pays-Bas, nous étions habitués à penser en termes d'aide donnée et reçue. Ces petits producteurs de café mexicains voulaient changer d'optique : leur vision m'intéressait et je pensais pouvoir agir en ce sens.

Quand, après trois semaines agitées, je revins aux Pays-Bas, je n'étais pas porteur d'un dossier de nouveaux projets à financer, mais des premières idées sur le concept de commerce équitable. Ce que les paysans du Mexique m'avaient dit représentait pour moi le message principal de ce voyage. Ces gens ne voulaient plus dépendre des dons et projets d'assistance mais gagner leur vie en vendant leurs produits. Ce n'est sans doute pas un pur hasard si c'est cet aspect des relations commerciales qui a retenu mon attention : ma famille était dans le commerce et je participais moi-même au mouvement des Magasins du monde. Le commerce m'était familier. Certes, je n'ai pas repris l'affaire de mon père, mais dans un certain sens, je suis devenu entrepreneur. D'une autre manière et sous d'autres conditions : il s'agit d'une entreprise contre la misère.

UN MILIEU SÉCURISANT

J'ai grandi dans une famille de Heemskerk, un village situé dans les sablières de la Hollande septentrionale ; mon père y possédait une entreprise florissante de bulbes de fleurs. Nous habitions du côté de la dune et étions nous-mêmes producteurs. L'entreprise travaillait pour l'exportation, surtout vers l'Allemagne. C'était une affaire familiale que mon père et mon oncle géraient ensemble. Au moment de ma naissance, en 1953, Heemskerk n'était qu'un village rural de six à sept mille âmes. En trente ans, il allait devenir une commune de trente mille habitants située au milieu d'une zone industrielle entourant les Hauts Fourneaux. J'ai pu suivre les changements sociaux qui ont accompagné cette évolution.

Mes trois sœurs et moi avons reçu une éducation catholique traditionnelle. Au Kennemerland, à l'époque, l'Église catholique occupait encore une place importante. Je me rappelle que nous avons été l'une des premières familles abonnées au téléphone — pendant des années, notre numéro fut le 18 — et à avoir la télévision, avec l'immanquable rendez-vous du mercredi après-midi où nous regardions le programme avec les enfants du voisinage. Avoir une voiture était également un privilège. Mon père était un homme engagé. Il en avait les trois facettes classiques : entrepreneur, conseiller municipal du Parti populaire catholique et membre du conseil presbytéral. Pendant notre enfance, nous entendions naturellement parler de l'entreprise et de sa gestion : nous approchions ce monde par l'intérieur. Nous n'avions à y travailler que pendant les vacances, quand il fallait déterrer et peler les bulbes.

J'ai grandi dans un milieu protégé et sécurisant. On parlait politique à la maison, mais en restant surtout à l'échelon régional. Notre fenêtre sur le monde était le *Dagblad Kennemerland*, quotidien local. En tant que conseiller municipal, mon père y apparaissait régulièrement, un phénomène qui incite à la lecture. Aller en classe, c'était pour moi fréquenter l'école catholique de garçons. À l'époque, il n'était pas question de mixité. Une salle de gymnastique séparait l'école des filles et celle des garçons.

Vers huit ans, je devins enfant de chœur, mais ce ne fut pas une réussite : je ne tenais pas en place. Il fallait que je me confesse chaque semaine ; mais comment faire quand on est enfant et qu'on ne voit pas du tout quoi raconter ? Dans ces cas-là, on allait trouver son abbé préféré et on discutait tranquillement avec lui. La religion de ma jeunesse n'était ni ennuyeuse ni contraignante. Elle faisait partie de la vie. L'Église proposait des habitudes et des usages qui se limitaient — avec le recul — à des formes purement extérieures. Elle consistait surtout à respecter les convenances. Quand j'y repense, c'est sans la moindre rancune.

Même si on abandonne en grande partie la religion de sa jeunesse, les origines catholiques continuent à exercer une certaine influence. J'étais en vacances à Rome avec mon amie Marja, qui deviendrait ma compagne, et je n'oublierai jamais le moment où nous parvint la nouvelle du décès du pape Paul VI. Ce jour-là, nous avions justement prévu de visiter la basilique Saint-Pierre. Dans les journaux du matin s'affichait en grandes lettres « Il papa e morte ». « Oh, le pape est mort ! » dit Marja sans la moindre émotion. Elle vient d'une famille protestante et le pape n'a pas grande importance pour elle. Soudain, je fus saisi par la distance qui nous séparait. Malgré toutes mes critiques envers l'Église, j'étais sous le choc alors que pour elle, la mort du pape ne signifiait pas grand-chose. Comme nous voulions voir la basilique, nous avons pris place dans le cortège qui défilait le long du cercueil. J'ai été étonné de ressentir ce jour-là de telles émotions.

QUAND ON DÉFIE L'AUTORITÉ

Ayant atteint la puberté, je commençai à m'interroger sur les valeurs que m'avait transmises mon éducation. Petit à petit, je m'éloignais de ce milieu protégé. La révolte des étudiants de l'École normale de Beverwijk marqua un tournant : pour la première fois, je fus confronté de près à la rébellion et à la violence policière qu'elle suscita. Je crois que l'occupation de l'École normale de Beverwijk a marqué la première étape du soulèvement étudiant aux Pays-Bas, et qu'elle a précédé la fameuse occupation de la *Maagdenhuis*, l'université d'Amsterdam. Dans une petite ville de province aussi conventionnelle que Beverwijk, ce fut le pavé dans la mare. J'avais une quinzaine d'années. Notre lycée était situé à côté de l'École normale. Nous étions captivés par ce qu'il s'y passait. Les étudiants qui occupaient les lieux portaient des jeans et certains d'entre eux avaient les cheveux longs. La direction était désarmée. Je jubilais et cultivais une admiration secrète pour les étudiants.

Le jour où la police vint les expulser par la force, j'étais là avec d'autres. On entendit d'abord une voix qui sommait les étudiants, sur ordre du maire, de quitter l'École. La tension montait. Il y eut trois sommations, mais les étudiants ne bougèrent pas. C'était un défi ouvert à l'autorité. Je n'avais jamais vu cela. La police procéda alors à l'expulsion, qui se fit sans douceur. Les étudiants furent violemment traînés par les cheveux en bas des marches. C'est une image qui restera gravée dans ma mémoire. Ce fut mon premier contact avec la dureté de la police et la première fois où je pensai : « Tiens, la société ne fonctionne pas tout à fait comme je le croyais ! » La révolte des étudiants marqua le début de ma prise de conscience politique.

Chez moi, on ne comprenait absolument pas les manifestations étudiantes et on désapprouvait fermement la rébellion de ces jeunes. Je commençais à m'intéresser de plus en plus à la politique et me passionnais pour les changements qui se succédaient rapidement dans la société. À la maison, Den Uyl, le dirigeant du Parti travailliste, personnifiait le mal. On était contre tout ce qui était socialiste. Mes sœurs suivaient le mouvement et je me distinguais peu à peu comme le phénomène critique et révolté de la famille. Je me rappelle bien les bombardements de Noël 1968 sur Hanoi. J'avais été élevé dans la pensée d'un Noël symbole de « paix sur la terre », et c'est justement ces jours-là que le président Nixon choisissait pour des bombardements massifs sur le Vietnam. J'étais révolté.

La vie de l'Église allait, elle aussi, m'entraîner dans ses changements. J'ai connu les derniers temps de la gloire catholique : fréquentation régulière des offices du dimanche et vie paroissiale active, équipe pastorale étoffée. L'image du curé bon vivant au ventre rebondi n'était pas seulement un cliché. Celui de la paroisse Regina Caeli était de cette sorte. Assisté de trois jeunes abbés, il était en contact avec les jeunes alors nombreux. Cette image allait vite se modifier. On supprima l'obligation d'assistance à la messe, la confession devint inutile et la fonction pastorale connut un abandon si large que notre paroisse ne conserva qu'un seul curé. Tout cela en cinq ans.

En ce temps-là, je fréquentais encore l'église, mais j'avais quitté ma paroisse. À la paroisse Saint-Joseph, dans les environs, j'avais trouvé ce que je cherchais en la personne de Jan Ruijter, un jeune vicaire. Au cœur de cette paroisse, des changements très intéressants étaient en cours. Ils aboutirent finalement à la formation de la Kritische Gemeente IJmond (Communauté critique de l'IJmond), l'une des premières communautés œcuméniques des Pays-Bas. J'ai participé à la formation de cette communauté dès le début : cette contribution m'a apporté une formation capitale et a décidé en grande partie du cours de ma vie. Cette communauté était très engagée sur le plan social. J'y participais activement. Un conseil de jeunes s'y est formé, on a organisé des programmes d'échanges internationaux avec des jeunes originaires de ce qui était alors l'Europe de l'Est. La semaine de la paix, à Beverwijk, en était l'apogée.

L'EXPLOITATION COLONIALE

Assez vite, je m'engageai dans un projet de Magasin du monde à Heemskerk. Ce fut le tout début de mon intervention dans les questions de développement et dans ce qui allait s'intituler ensuite « Mouvement du commerce équitable ». Nous avons lancé une action « sucre de canne » pour tenter de dénoncer le protectionnisme du marché européen vis-à-vis du tiers-monde. Je me vois encore au milieu de ces énormes balles de sucre de canne dont il fallait faire des paquets d'un kilo. Nous mettions — déjà — tout en œuvre pour un café équitable. Notre action contre le café en provenance de l'Angola a eu pour conséquence que les torréfacteurs ne l'utilisaient plus dans leurs mélanges. À l'époque, l'Angola était une colonie portugaise et l'exportation du café finançait l'exploitation coloniale par le régime militaire de Salazar. Par la suite, plusieurs torréfacteurs m'ont raconté à quel point cette première action les avait traumatisés. Les entreprises ne connaissaient que vaguement ce type d'actions et ne savaient pas comment réagir.

Pour mes parents, mon engagement a dû être décevant. Je partais dans une toute autre direction que celle qu'ils avaient imaginée. Ils pensaient que j'allais reprendre l'entreprise. Elle avait été transmise de père en fils. Il aurait été logique, qu'après le bac, j'aille à Wageningen, à l'École supérieure d'agriculture. La culture des bulbes de fleurs ne me rebutait pas particulièrement, mais je ne parvenais pas à me passionner pour le côté commercial du métier. Les ventes à la criée ou à la Bourse sont un monde à part, les contacts y sont particuliers. L'atmosphère machiste, les propos sur les beuveries et les femmes m'étaient étrangers. Et surtout, les questions de gros sous ne m'intéressaient pas.

Je décidai donc de ne pas aller à Wageningen après

le bac. Je cherchais à m'orienter et les études d'histoire me parurent un bon choix. Je partis étudier à Amsterdam avec l'idée de devenir professeur. Je m'intéressais plus à l'humanité qu'aux bulbes de tulipes. C'est ennuyeux de ne pas satisfaire certaines attentes, mais finalement mes parents me laissèrent libre de mes choix. Après des détours, j'ai finalement retrouvé la vie en entreprise, même si c'est pour des raisons différentes.

Je me retrouvai à l'université libre d'Amsterdam. Je ne faisais pas partie des étudiants qui cherchent à avoir de très bonnes notes. Le bénévolat et diverses actions ne me laissaient pas assez de temps pour mes études. Mon agenda était bien rempli. Je militais pour la Communauté critique de l'IJmond, j'étais bénévole au Magasin du monde et actif dans le mouvement Pax Christi. Ce fut une période dynamique et enthousiasmante. Ces années-là, j'ai rencontré mes meilleurs amis et ma femme. Entre-temps, je m'occupais aussi de mes études. On trouvait normal de consacrer beaucoup de temps à des activités d'ordre politique ou social. De nombreux étudiants étaient impliqués dans les associations, les groupes d'action et la politique.

À cette époque, je m'enthousiasmai pour le mouvement de renouveau dans l'Église. Auprès de Jan Ruijter, leader de la Communauté critique de l'IJmond, je découvris l'aspect visionnaire de la politique et les capacités d'organisation nécessaires à l'action sociale. Le liturgiste et poète Huub Oosterhuis m'apprit un nouveau langage de la foi qui m'apparut comme un deuxième niveau d'existence. Il sut formuler de nouvelles perspectives, qui me parurent percutantes, dans la prière et le chant. Oosterhuis trouvait à chaque fois les compositeurs capables de mettre sur ses paroles la musique qui ajoutait à leur force. Les groupes d'études religieuses des étudiants d'Amsterdam,

avec des exégètes comme Karel Deurloo et Ton Veer-
kamp, étaient les pépinières d'une foi engagée. Bert
Schuurmann, érudit et fin connaisseur de la théologie de
la libération, m'introduisit dans le débat des idéologies et
philosophies de notre temps. Et l'inoubliable Kleis Kroon
savait, comme personne, captiver son auditoire en lui faisant découvrir les racines juives du christianisme.

Les contradictions entre tradition juive et tradition
chrétienne me passionnaient. Je découvrais que je pouvais
combiner mon engagement politique avec une conviction
religieuse qui avait su se renouveler de l'intérieur. Je sui-
vais toutes sortes de cercles religieux, je lisais la Bible
avec un regard neuf et m'intéressais de plus en plus à la
théologie. Ce fut une période cruciale. Sans ces maîtres,
sans ces lieux où l'on pouvait s'exercer à un engagement
dans la foi, je me serais probablement détourné du christianisme, comme l'a fait une grande partie de ma génération.
Les églises ont tellement mal emballé le christianisme que
beaucoup ne se donnent pas la peine de défaire l'emballage
et de redécouvrir le contenu.

RENDRE LA SOLIDARITÉ ACCESSIBLE

C'était devenu incontournable : après l'histoire, je
décidai d'étudier la théologie. Je choisis une formation
progressiste : le parcours théologique de la faculté théologique d'Utrecht. Dans la dernière période de l'épiscopat
du cardinal Alfrink, on avait fait une place à ce type de
formation novatrice. Nous nous penchions sur les relations
marxisme-christianisme, faisions l'exégèse du matéria-
lisme et étudiions les théories pour la libération du tiers-
monde. Edward Schillebeecks nous mettait en garde contre
la folie passagère et tentait de faire contrepoids en nous

imposant de fortes doses de théologie traditionnelle. À la fin des années 70, la formation théologique et pastorale retrouva le carcan catholique romain.

En plus de mes études, je travaillais en tant que membre de la Communauté critique de l'IJmond, ce qui me servait de stage et m'apportait quelques revenus. Ce n'était pas énorme, mais j'avais aussi une bourse d'études et Marja, ma femme, nous faisait vivre avec son salaire d'infirmière. À la fin de mes études, nous avons acheté une ancienne maison ouvrière dans le quartier *Zuilen* d'Utrecht. Mes parents n'aimaient pas nous rendre visite dans ces lieux qu'ils trouvaient miséreux. Ils avaient du mal à comprendre mon peu d'intérêt pour la réussite sociale. Je concevais ma carrière d'une manière particulière : je n'étais pas à la recherche d'« un poste toujours mieux rémunéré », mais d'« un travail toujours mieux réalisé ».

Au cours de cette période, au début des années 80, nos trois enfants sont nés : Martijn, Joram et Mirte. Marja et moi travaillions tous deux à mi-temps et nous partagions les tâches ménagères et l'éducation des enfants. Avec trois bambins, la tâche de père au foyer était lourde. Parfois, je leur disais que j'avais hâte d'aller à mon travail pour me reposer un peu. Quand nos enfants atteignirent l'âge de la scolarité, nos conceptions de l'enseignement se heurtèrent à ce que proposait l'école du quartier. Fallait-il envoyer nos enfants dans un établissement qui comprenait quatre-vingt-dix pour cent d'élèves issus de l'immigration, présentant des retards scolaires et des problèmes de langue ? Idéal et réalité s'affrontaient. Finalement, nos enfants furent inscrits dans le village voisin, dans une école inspirée des méthodes du pédagogue Peter Petersen.

Mes revenus de l'époque étaient modestes, mais il ne faut pas voir là l'application d'un principe de pauvreté. Je ne suis pas du genre altruiste, je ne renonce pas aux avantages matériels. En ce moment, je vis avec ma famille dans de bonnes conditions. Ma femme et moi réunissons des revenus corrects. Nous avons une belle maison. Nous pouvons partir en vacances, nos trois enfants fréquentent des clubs sportifs et toutes sortes de sources d'épanouissement leur sont offertes. Nous pouvons profiter de beaucoup de choses. C'est à peine si on s'en aperçoit dans un pays riche comme la Hollande. Mais quand on revient d'une mission dans le tiers-monde, la différence est sensible. Je n'en éprouve d'ailleurs aucune culpabilité. Je sais que le pauvre ne nous demande pas de devenir pauvre comme lui. Le pauvre demande la solidarité. La pauvreté est, selon Guttierez, théologien de la libération, un état indigne. Elle n'a pas à être élevée au niveau d'un objectif personnel ou d'un idéal. La question éthique se trouve dans l'acceptation ou non de la solidarité. Pour reprendre les paroles de la théologienne allemande Dorothee Sölle : « Peu importe de quel côté de la barrière tu es né, ce qui compte c'est le côté que tu vas choisir en tant qu'homme conscient et actif. »

Il y a injustice quand le riche bannit le pauvre de son existence, ignore la pauvreté, quand il trouve naturel son propre bien-être, et qu'il refuse toute solidarité avec les autres. Certains habitants des riches contrées du Nord choisissent, comme le fait Frans van der Hoff, d'être pauvre avec les pauvres, par solidarité. J'ai le plus grand respect pour ce choix. L'engagement désintéressé, près de nous comme au loin, nous renvoie l'image de notre existence bourgeoise. En même temps, il ne faut pas donner à la solidarité un caractère extrémiste et inimitable. Je trouve important de développer des modèles qui permettent à chacun de donner forme à la solidarité. Je pense à des choses simples. Quand on boit un café, savoir si le producteur en a tiré un prix équitable. Quand on achète un jean, choisir celui qui a été fabriqué dans le respect des hommes et de la nature. On peut faire en sorte que la solidarité devienne un défi, qu'elle soit attirante et accessible.

DES PROBLÈMES SOCIAUX URGENTS

Il ne nous reste que peu de temps pour résoudre les deux plus grands problèmes de notre société : la misère mondiale et la crise de l'environnement à l'échelle de la planète. L'interdépendance de ces deux phénomènes nous oblige à une profonde réflexion. Jusqu'à maintenant, en matière de développement, on a privilégié la lutte contre la misère. Mais la consommation restreinte ne représente qu'un aspect, l'autre étant l'hyper consommation qui caractérise les économies développées. La question du climat nous contraint à examiner la relation entre ces deux questions.

Quels taux de rejets de gaz carbonique pouvons-nous infliger à la terre ? Avec ses océans et ses forêts tropicales, elle peut en absorber annuellement quatorze milliards de tonnes, d'après les calculs des experts. Pour six milliards d'hommes, le rejet moyen devrait être de 2,3 tonnes par personne et par an. Avec une moyenne de douze tonnes, le Néerlandais se situe largement au-dessus. L'Américain, dont le gaspillage fait partie du style de vie, atteint une moyenne de vingt tonnes à lui seul. Les deux milliards d'hommes les plus pauvres de notre planète atteignent, eux, le taux extrêmement faible de 0,01 tonne par personne par an. C'est cette disproportion qui permet à un milliard de consommateurs occidentaux de perpétuer un mode de vie polluant. Pour un point de croissance économique, la consommation d'énergie augmente de 0,7 pour cent. L'accroissement en volume de la production et de la consommation rattrape sans cesse ce que gagne une politique de protection de l'environnement pourtant de plus en plus efficace. Pourtant, nous continuons à revendiquer notre droit à une croissance économique continue, pour atteindre si possible un doublement en vingt ans aux Pays-Bas.

La connaissance humaine et l'innovation technologique ne parviennent pas à résoudre ce dilemme, car il nous faudrait plus que du savoir-faire. De la sagesse, probablement. La connaissance apporte des solutions techniques. Sans aucun doute, elles peuvent contribuer à un développement à long terme, mais cela ne suffira pas. La sagesse a trait aux valeurs, elle permet de formuler une orientation souhaitable pour l'évolution de la communauté mondiale et de définir une politique dans laquelle l'homme exprime sa capacité à modeler la société. La sagesse, c'est la capacité de l'homme à établir des priorités, à accepter des limites, à faire des choix.

Nous devrons puiser aux riches sources des traditions culturelles et religieuses de l'humanité pour trouver ces valeurs, les tester et les redéfinir.

Certes, nous avons besoin d'un environnement stimulant qui nous apprenne à placer les besoins sociaux au-dessus de nos besoins matériels incontrôlés. La solidarité demande une stratégie commune, une réciprocité : tu fais ton travail là-bas, je fais le mien ici. C'est ce que m'ont déclaré les petits producteurs de café du Mexique : « Laisse-nous faire notre travail ici comme nous en avons l'habitude. Nous serons déjà très contents si tu t'occupes avec tes hommes de ce que vous avez à faire. » Quand je pense à la pauvreté, je vois les visages d'Indira et de Juan, d'Enan et d'Isaías. « Le pauvre » a maintenant un visage, il est devenu un ami.

En 1984, quand Solidaridad m'a proposé une fonction de collaborateur sur le terrain, je n'ai pas hésité une seconde. Solidaridad est un lieu de travail intéressant.

C'est une organisation interconfessionnelle qui évolue parmi les Églises sans leur appartenir, du moins sans lien privilégié avec aucune d'entre elles. L'œcuménisme comporte un aspect essentiel pour l'Église : il maintient une certaine distance vis-à-vis de l'ordre établi dans les différentes Églises, ouvrant ainsi une brèche pour de nouvelles idées et de nouvelles pratiques.

Solidaridad dispose d'un budget de cinq à six millions de florins par an pour des projets de développement, sur un total annuel moyen de sept millions et demi de florins. Une somme uniquement constituée des dons de particuliers, grâce aux collectes dans les églises et, de plus en plus, à la participation financière de fidèles donateurs. Mais Solidaridad ne se contente pas d'un simple financement de projets. Elle agit en partenariat, dans une relation de réciprocité ; une vaste palette qui comprend l'écoute et la discussion, les changements de société ici comme là-bas, l'aide aux projets et des changements structurels. Solidaridad ne se contente pas d'assister.

Le programme « *Recht op recht* » (Le droit à nos droits) est un terrain d'action important pour Solidaridad. En collaboration avec des organisations de défense des droits de l'homme, il vise à instaurer l'état de droit dans certains pays. En soutenant en priorité les groupes marginalisés, il tente de faire un pas vers une société civile développée.

Le programme de Solidaridad, « L'économie pour tous », aspire à l'émancipation économique des hommes dans le cadre du commerce équitable.

Le troisième programme, « Foi et vie », implique un pastorat novateur et prend en compte l'aspect culturel dans le développement. Seuls des hommes forts, porteurs de leur propre identité et d'un bagage culturel ou spirituel suffisant, peuvent soutenir un processus de développement durable.

Un tel lieu de travail est précieux.

FRANS VAN DER HOFF — UCIRI — MEXIQUE : DES PAYSANS ORGANISENT L'ESPOIR

En octobre 1980, je quittai la ville de Mexico et ses 18 millions d'habitants pour m'installer à Barranca Colorada, un village de quelque deux mille âmes, à 8 kilomètres d'Ixtepec, dans le canton d'Oaxaca. Il se situe, au sud du Mexique, dans une vallée qui relie les montagnes du Juarez et la côte de l'océan Pacifique, dans la partie la plus étroite du Mexique. La distance entre l'océan Pacifique, au sud, et le golfe du Mexique, au nord, ne dépasse pas 360 kilomètres à vol d'oiseau. La langue de terre appelée isthme de Tehuantepec est traversée par le Juarez, dont les sommets atteignent 3 500 mètres. J'ai choisi d'habiter Barranca Colorada car le village n'est pas très éloigné du siège épiscopal de Tehuantepec, sans en être trop proche. Je souhaitais vivre un peu à l'écart, parmi les paysans, loin de l'agitation de la ville. Barranca Colorada est peuplé principalement de Zapotèques qui vivent de l'élevage et de l'agriculture à petite échelle.

Pour se rendre à Barranca Colorada, il faut quitter la route d'Ixtepec, qui conduit à la côte, et emprunter des chemins de terre caillouteux et accidentés. On y rencontre des zébus qui lèvent leur lourde tête osseuse pour vous regarder passer. À l'horizon, on voit se dessiner en bleu le massif du Juarez. J'ai trouvé à Barranca une petite maison paysanne vide depuis deux ans. Elle paraissait délabrée, mais les murs de torchis étaient épais et solides, le toit reposait sur des piliers d'un bois si dur qu'on ne pouvait y planter un clou. La maison avait l'air d'avoir cent ans et était proche d'un grand olivier, un point de repère important pour qui voulait traverser la rivière. Par derrière se trouvait un gué. On me demandait neuf cents florins pour la maison. Naturellement, je ne les possédais pas. Je pus cependant l'acheter grâce à l'aide généreuse d'une amie de l'ambassade des Pays-Bas.

DES MURS DE TORCHIS

Je me suis installé dans cette maison avec mes quelques affaires, principalement des cartons de livres et des vêtements. Les livres suscitèrent la surprise des habitants : ils crurent que je voulais ouvrir une librairie. « Mais non, ce sont de vieux livres ! » Ils trouvaient cela encore plus étonnant : qu'est-ce qu'on pouvait bien faire avec de vieux livres ? Au fil des années, j'ai réexpédié une grande partie de ma bibliothèque aux Pays-Bas. Je les utilisais peu et ils moisissaient sur place. Quand je m'installai à Barranca, presque personne ne savait que j'étais prêtre. Je trouvais inutile d'en parler. Au milieu du village, il y avait une petite chapelle, plus ou moins abandonnée. Les gens n'allaient pas à l'église et jamais un prêtre ne passait par là. Les gens du village découvrirent bientôt que je voulais gagner ma vie, et ils trouvèrent cela étrange. Ils partaient du principe que tous les Blancs étaient riches et n'avaient pas besoin de travailler. Je me suis mis à cultiver la terre comme eux, ce qui leur a vite inspiré confiance. J'ai pris des poules pour avoir des œufs, quelques vaches et j'ai planté des arachides et du maïs. La maison ne demande pas beaucoup d'entretien. Tous les ans, je remets une couche de torchis sur les murs pour en boucher les fentes et les trous. De temps en temps, je répare un peu le toit. J'ai une petite cuisine, un coin toilette et des WC extérieurs, modèle « tiers-monde », avec seau d'eau. J'ai l'électricité, mais heureusement pas le téléphone. Mon seul luxe est l'ordinateur, devenu maintenant indispensable. Pour le reste, je me contente d'une table, quelques chaises, un hamac, une armoire et mon matelas de jute, qui est presque toujours incliné contre le mur, car je dors une grande partie de l'année à la belle étoile.

Ma voisine, une Zapotèque, veille sur moi. C'est la *madrina*, la marraine de ma maison. Quand j'ai des invités, elle m'apporte un plat pour le déjeuner. Elle accepte que je me débrouille quand je suis seul, mais si je reçois, c'est elle qui fait la cuisine. C'est son habitude, ça ne se discute pas ! Les Zapotèques ont une culture en partie matriarcale. Ma voisine est la patronne chez elle. Quand l'année est bonne, elle dit : « Ma récolte n'est pas mauvaise cette année. » Elle s'occupe du commerce des produits, tandis que son mari se charge du travail de la terre. Les femmes ne s'occupent jamais de la terre. C'est tabou. Ma voisine a parfois des conflits avec son mari, et on voit clairement qui porte la culotte. Je me rappelle une nuit où ils se sont disputés copieusement. L'homme s'est fait jeter dehors et il y est resté toute la journée suivante. Quand il a réapparu le soir vers l'heure du dîner, elle m'a dit : « Vous savez, même les chiens ont faim. »

L'une des missions dont l'évêché m'avait chargé était de m'informer sur les conditions de vie de la population indienne des montagnes, sur ses coutumes et sa religion. Pour mieux connaître la région, je fis plusieurs voyages avec l'évêque. Je découvris les nombreux conflits locaux et régionaux, et aussi la mauvaise répartition des rares richesses. Le canton d'Oaxaca est l'un des plus pauvres du Mexique. Les 2,7 millions d'Indiens qui y vivent comptent parmi les habitants les plus démunis de la région. Ils habitent les maisons les plus délabrées et ont le plus bas niveau d'enseignement. Dans la partie où j'habitais, j'avais surtout affaire aux Zapotèques, mais aussi aux Mixes, Chontales et Mixtèques, groupes issus des Aztèques.

Jusqu'en 1400, les Zapotèques ont gouverné la région. Ensuite, les Aztèques sont parvenus à entrer dans leur domaine grâce à une percée par le sud. Leur domination fut de brève durée, mais leur influence marquante. On le constate encore aujourd'hui, les noms des lieux géographiques de la région sont d'origine aztèque, plus souvent que zapotèque. La petite ville voisine de mon lieu d'habitation s'appelle par exemple Ixtepec, nom d'origine aztèque qui signifie « lieu du vent ». En hiver, en effet, les rafales sont d'une force inouïe.

Mon travail m'amenant à rencontrer souvent des Zapotèques, j'ai entrepris de me familiariser avec leur langue. Un garçon de Barranca Colorada a passé des soirées entières à me faire faire des exercices. C'est une langue difficile, et je me suis aperçu par la suite que ces leçons ne m'étaient pas vraiment utiles : dans mon village, on parle un tout autre dialecte que dans les montagnes où je séjournais souvent pour mon travail. Je ne comprenais pas grand-chose. Aujourd'hui, à force de m'être exercé, j'arrive plus ou moins à suivre ce que disent les Indiens des montagnes, mais j'ai du mal à me faire comprendre. Ce n'est pas très grave car la plupart des Zapotèques sont bilingues. Seule une partie des habitants les plus âgés ne parle pas l'espagnol. Tandis que chez les jeunes, c'est parfois l'inverse : pour les enfants et les adolescents l'espagnol est la langue maternelle, surtout dans les villes. Généralement, ils comprennent encore la langue indienne de leurs parents, mais tous ne la parlent pas, loin s'en faut. De nombreux projets ont pour objectif de favoriser le bilinguisme dans les écoles élémentaires pour prévenir la disparition des langues locales.

LE PRIX TRÈS BAS DU CAFÉ

J'ai vite fait connaissance avec la région. J'ai constaté une grande différence entre la vallée relativement riche où j'habitais et la région accidentée du Juarez, difficilement accessible. Les villages de montagne sont très isolés et leurs habitants ont peu de contacts avec ceux de la vallée.

On y vit surtout de l'agriculture à petite échelle. On cultive le café. Cette culture date d'une centaine d'années. Les pentes situées entre 800 et 1 600 mètres d'altitude s'y prêtent particulièrement bien. Les paysans produisent aussi du maïs et des haricots noirs pour leur consommation personnelle. Ils cultivent aussi des fruits : mangues, bananes, oranges et avocats que les femmes vendent au marché d'Ixtepec.

C'est le café qui fait vivre les familles, mais depuis toujours, son faible prix de vente a limité les revenus. Avant la construction d'une route qui a désenclavé les villages de montagne, les petits producteurs étaient entièrement dépendants des acheteurs de la vallée. Ceux-ci, recrutés par les marchands de café locaux, montaient au moment de la récolte avec des bêtes de somme pour acheter le café, souvent en échange de sucre, d'outils et de ciment. Le café était très peu payé, mais les paysans n'avaient pas le choix : comme ils ne possédaient que peu de bêtes de charge, ils ne pouvaient assurer le transport.

De plus, les marchands de la vallée étaient les seuls à pouvoir leur procurer le sucre et le ciment, produits d'un coût élevé. Il n'y avait aucune discussion et le paysan en était réduit à accepter le très bas prix fixé par l'acheteur, d'où la misère de la plupart des familles.

Au cours des années 70, les forêts de la région suscitèrent l'intérêt des sociétés d'exploitation. Avec leurs énormes machines, elles construisirent des voies pour dégager le site et transporter le bois. Mais les contrats ne furent pas honorés, le bois rapportait peu et les paysans locaux se débarrassèrent de ces sociétés en 1976. Les montagnards conservèrent cependant un avantage de cette période : les chemins qui permettent l'accès à de petits camions. Ils sont en terre battue, les périodes de pluie les dévient, les rendent souvent boueux et impraticables, mais au moment de la récolte, durant la période sèche, les paysans peuvent dorénavant la transporter en camion plutôt qu'à dos d'âne.

INMECAFÉ, la compagnie publique, fondée en 1970, circulait en voiture dans les montagnes pour acheter leur café. Elle avait été créée pour assurer aux petits producteurs un meilleur prix de vente de leurs produits. Leur situation parut un temps s'améliorer, mais cela ne dura pas. La corruption s'installa. On racontait aux paysans producteurs que leur café n'était pas de première qualité. À la même époque, sur les recommandations des techniciens et des conseillers agricoles, ils commencèrent à emprunter aux banques et beaucoup d'entre eux furent rapidement criblés de dettes, surtout après la mauvaise récolte de café de 1976.

Quand je me rendis pour la première fois dans cette région, en 1980, je fus frappé par la misère des paysans, leurs mauvaises conditions de vie et l'absence de perspectives de leur existence. Leurs maisons étaient en mauvais état, mais ils n'avaient ni moyens ni argent pour les réparer. La plupart des toits de chaume fuyaient, les murs présentaient des fentes et des trous, ce qui rendait les logements humides. La mortalité infantile était élevée. En cas de maladie, on n'avait pas de médecin. La mauvaise récolte de 1976 avait mis les paysans dans une situation critique. Ils n'avaient pu rembourser leurs crédits, n'ayant rien gagné en cette année catastrophique. Ils avaient même été contraints d'emprunter à nouveau pour survivre. Toutes les tentatives en vue d'améliorer leur situation avaient échoué les unes après les autres. Toute coopération s'était avérée impossible à cause du manque de communication et des conflits entre les populations. On avait aussi essayé de créer des magasins d'approvisionnement, mais ils avaient fait faillite les uns après les autres parce que tout était acheté à crédit. On avait du mal à imaginer une amélioration.

Au printemps 1982, l'évêque me demanda de former un groupe pour faire avec la population un inventaire et une analyse des problèmes. J'y étais tout à fait disposé, mais je connaissais peu la région et je voulais d'abord me familiariser avec mon nouvel environnement. La meilleure école me semblait être la vie quotidienne. C'était la période sèche, le moment de la récolte du café. Ma petite entreprise rurale de Barranca Colorada me donnait peu de travail, mais me fournissait des revenus négligeables. Je décidai donc d'arrondir mon budget en me faisant engager comme journalier pour la récolte : j'aurais en même temps un aperçu de la vie des petits producteurs de café et de leurs problèmes.

CUEILLIR ET PORTER

Dans cette région, la récolte du café a lieu entre décembre et mars. Toute la famille y participe, même les enfants dès onze, douze ans. Ce sont des mois où l'on travaille beaucoup. Les journées commencent souvent à 6 heures et se terminent à 23 heures. Le caféier fleurit trois fois les bonnes années et les cueilleurs passent donc trois fois devant chaque plante. Il faut faire vite. Dès que les baies deviennent rouges, elles doivent être cueillies. Si on arrive trop tard, elles tombent et deviennent inutilisables. Heureusement, les familles ont de petites plantations en terrasse, si bien que les baies ne mûrissent pas toutes en même temps. Quand on a cueilli celles des jardins les plus bas, on remonte vers les jardins supérieurs.

Dès qu'il fait jour, toute la famille part pour la plantation. On porte les petits enfants sur le dos et on prend des plats de haricots et de tortillas pour le repas de midi. On suspend parfois des hamacs pour les plus petits et les frères et sœurs à peine plus grands qu'eux surveillent les bébés. Le reste de la famille, un panier sur le ventre, se dirige vers les caféiers. Pour cueillir les baies, il faut attraper la plante par le milieu de sa tige, la courber vers soi et la fixer à l'aide d'un crochet, puis détacher une à une les baies rouges. Les femmes sont particulièrement habiles, elles atteignent des vitesses considérables. La première fois que je vins aider à la récolte, j'étais très loin de leurs performances. Cependant, on s'habitue et on acquiert de la vitesse. Pendant la cueillette, on bavarde beaucoup, surtout le matin quand on est en forme et qu'il ne fait pas encore trop chaud. C'est un travail pénible dans la mesure où il faut rester debout toute la journée. Quand il fait beau, il nous arrive de faire la cueillette en pleine chaleur, quand il pleut, on attend impatiemment parce que l'on ne peut rien faire. Il faut ensuite rattraper le temps perdu. La plupart des paysans ainsi que les membres de leur famille se retrouvent très amaigris à la fin de la récolte.

Après une longue journée que l'on passe à cueillir le café et à transporter les paniers remplis de baies, le travail n'est pas terminé. Il faut le rentrer à dos d'ânes. Comme il n'y en a souvent qu'un seul, le paysan fait trois ou quatre allers et retours avec sa bête lourdement chargée. Après le repas du soir, il faut encore enlever la pulpe du café dans une petite moulinette : on y jette les baies mûres et on tourne jusqu'à ce que l'écorce extérieure se détache et que seuls les noyaux subsistent et tombent dans un baquet. De temps en temps, on verse de l'eau pour faciliter le passage. On recueille et on conserve la pulpe provenant de cette opération ; elle servira plus tard de compost dans les plantations. Dans chaque baie se trouvent deux graines vertes, les grains de café. On fait fermenter ces grains dans de grands bacs d'eau où ils restent entre 25 et 36 heures pour que la couche extérieure s'en détache. Une fois lavés, les grains sont mis à sécher sur de petits « séchoirs » de ciment près de la maison. On appelle *pergamino* ces grains de café séchés.

Comme je ne connaissais rien dans ce domaine, je posai toutes sortes de questions pendant la cueillette. Les paysans étaient tout à fait disposés à parler de la production de café et de ses problèmes à un hurluberlu blanc. Ils m'ont tout expliqué : comment la plante pousse, comment il faut s'en occuper, dans quelles conditions elle produit de beaux fruits, et comment on fait pour cueillir plus vite. Peu à peu je fis connaissance avec tout le processus, la quantité de travail nécessaire et les prix. Je me louais pendant quelques semaines à une famille, puis je changeais de lieu. J'entendis ainsi les histoires de plusieurs régions et sous différentes versions. J'étais payé en sacs de grains secs et je devais me débrouiller pour les revendre aux acheteurs. Le prix était bas, à peu près 25 cents le kilo. À partir de ces données, j'avais fait une estimation grossière de ce que gagnait le paysan : ça ne devait pas dépasser les 210 dollars par famille et par an.

L'INVENTAIRE DES PROBLÈMES

En mars 1982, après la moisson, nous avons réuni 150 paysans provenant de divers villages pour dresser l'inventaire des problèmes. Les plus représentés furent les Zapotèques mais les Mixes, Mixtèques et Chontales vinrent aussi. On parlait l'espagnol car les différentes populations ne se comprenaient pas entre elles. Pendant une semaine, nous nous sommes rassemblés dans le village Gueva de Humboldt. « Et maintenant, j'aimerais que vous me racontiez en détail tout le déroulement de la production du café », ai-je dit aux paysans. Comment la plante pousse, comment on doit s'en occuper, à quel moment le fruit se développe et le traitement auquel on soumet les baies ? Pour chaque élément, je demandais les détails du travail, la fréquence requise, le temps nécessaire. Nous notions toutes ces données sur de grandes feuilles de papier. Je disposais d'une grosse liasse de reproductions des œuvres de Vincent Van Gogh, que l'ambassade des Pays-Bas avait fait imprimer pour un projet destiné aux écoles primaires du Mexique, sans grand succès d'ailleurs. Ces feuilles traînaient depuis des années à l'ambassade. Le papier était beau et résistant, son verso complètement blanc. Les tournesols de Van Gogh se retrouvèrent dos au mur dans une petite église indienne du sud du Mexique.

L'enthousiasme des petits paysans grandissait et au bout de quelques jours, l'église entière disparaissait sous les feuilles de papier. Nous pouvions maintenant calculer le prix de revient réel du café en additionnant les différents coûts : plants, outillage, transport, heures de travail des hommes et des femmes. J'arrivais à 0,65 dollar le kilo. « Frans, tu te trompes, tu inscris une somme pour chaque journée de travail », me disaient les paysans. Ils ne comprenaient rien à mes calculs qui, d'après eux, aboutissaient à un prix trop élevé. Ils n'étaient pas habitués à inclure leur propre travail dans les coûts. Les intermédiaires ne leur offraient pas plus de 0,25 le kilo. Ils avaient beau trouver que c'était peu, ils ne voyaient pas d'autre solution. Or, c'était de l'exploitation pure et simple.

La plupart des paysans indiens ne descendaient pour ainsi dire jamais dans la vallée et ignoraient tout des prix pratiqués. Nombre d'entre eux ne disposaient d'aucun moyen de transport et dépendaient des tarifs que fixaient les acheteurs qui venaient chercher le café. On appelait ces derniers les *coyotes* parce qu'ils étaient habiles à acheter le café au prix le plus bas et à empocher le bénéfice. « C'est un café de mauvaise qualité », répétaient-ils. Les paysans, n'ayant aucun moyen de vérifier leurs dires, s'étaient résignés à vendre à des prix très bas. Certains étaient persuadés du peu de qualité de leur produit. Mais ils en avaient poursuivi la culture, faute d'un autre moyen d'existence.

Après avoir calculé avec les petits producteurs le prix réel du café en y incluant les temps de travail, nous avons commencé à établir la liste des problèmes. Elle fut longue. La plupart des paysans vivaient dans des huttes misérables et insalubres. Les structures de santé étaient totalement absentes, les écoles manquaient, l'approvisionnement alimentaire était à revoir. Beaucoup de villages n'avaient pas l'eau courante et ne connaissaient pas l'électricité. Une partie des paysans habitait tellement loin qu'il leur fallait plusieurs heures de marche à pied pour rejoindre un chemin de terre. Le transport était entre les mains des intermédiaires qui se faisaient grassement payer. Enfin, nombreux étaient les paysans criblés de dettes auprès de *Banrural*, la banque agricole.

Leur situation semblait sans issue. La liste des problèmes était devenue si longue que je demandai aux petits producteurs de signaler les questions les plus urgentes. Les deux problèmes considérés comme cruciaux furent les dettes et le très bas prix du café. Nous prîmes la décision de nous orienter vers ces deux thèmes.

ÉLIMINER LES INTERMÉDIAIRES

En écoutant les paysans me raconter leurs problèmes, j'avais déjà tiré mes premières conclusions concernant le prix du café. Il fallait trouver un moyen d'éliminer les intermédiaires et de vendre nous-mêmes notre café dans le port ou à proximité. L'idée pouvait paraître simpliste, mais elle s'avéra bonne par la suite. Nous avons commencé à trois villages. Nous avons acheté des sacs de jute, loué un camion et transporté notre café jusqu'à une coopérative proche de Vera Cruz, ville portuaire d'où partait la plus grande partie des produits destinés à l'Europe et aux États-Unis. À notre grande surprise, nous avons pu vendre notre café à 0,95 dollar le kilo, un montant astronomique en comparaison avec les 0,25 dollar que nous payaient les coyotes dans les montagnes : les intermédiaires faisaient donc un bénéfice de 0,68 dollar. La deuxième surprise fut d'apprendre que notre café était de relativement bonne qualité. Tout le monde s'en réjouit. Il pouvait être amélioré, mais en tout cas, il était moins mauvais que ne le racontaient les coyotes à longueur d'année. Après avoir déduit les frais et mis de côté une petite somme pour un fonds d'urgence, il resta pour les paysans un montant de 0,83 dollar le kilo. Personne n'avait jamais tiré pareil profit de son café.

Le deuxième problème était celui des dettes à la banque de prêt. Au cours des dernières années, les fonctionnaires du crédit rural avaient parcouru les montagnes pour sommer les paysans de payer leurs dettes. De nombreux paysans s'y étaient résolus. Dans la mesure du possible, ils avaient remboursé en partie ou en totalité et avaient reçu un bout de papier en guise de quittance. Plus tard, quand ces mêmes paysans s'informèrent sur leur situation auprès de la banque, on prétendit, le plus souvent, n'avoir aucune trace d'un remboursement. La dette était toujours inscrite et elle n'avait fait que s'accroître. Les employés de la banque avaient tout simplement empoché les sommes versées, supposant que ces pauvres Indiens ne s'en apercevraient pas. Je donnai aux paysans un conseil très simple : ne plus rembourser les dettes avant d'avoir des précisions sur leur montant exact et surtout de savoir pourquoi on nous demandait de payer deux fois. Nous prenions des risques et cela impliquait que nous ne pourrions plus demander de prêts aux banques. Je ne voyais aucune autre possibilité, donc c'est ce que nous avons fait.

Tout cela se sut très vite. Les paysans furent contents d'apprendre que leur café était meilleur qu'ils ne le croyaient. Ils réalisèrent aussi qu'il permettait de gagner beaucoup plus. Par le bouche à oreille, la nouvelle se propagea jusqu'aux confins de la montagne. Un grand nombre de paysans voulait se joindre à nous. En un rien de temps, nous sommes passés de 3 à 9 villages, puis à une collaboration entre 17 villages.

En 1983, nous avons dû surmonter un grand nombre de difficultés afin d'obtenir un statut juridique pour notre association. Il fallait remplir des tonnes de paperasses, obtenir d'innombrables tampons et signatures, attendre sans fin. Cela nous a demandé énormément d'énergie et de ténacité. Finalement, nous avons formé l'Union des villages indiens de la région de l'Isthme ou UCIRI. Le terme « union » se prêtait mieux à la situation que celui de « coopérative », car les membres d'UCIRI ne sont pas des paysans individuels, mais des communautés villageoises. La propriété privée du sol n'existant pas en montagne, les paysans exploitent depuis toujours leurs terres en commun. Ainsi, l'Union correspond mieux à la tradition. Depuis toujours, la structure de base a été la communauté de villages qui comprend un bourg entouré d'une douzaine de villages ou hameaux constituant une unité.

LES PNEUS PERCÉS, LES CAMIONS DÉTRUITS

L'étape suivante consistait à obtenir une licence d'exploitation et à trouver des partenaires avec qui nous pourrions mener un commerce sur de bonnes bases. Nous étions maintenant convaincus d'être en mesure de livrer un produit de qualité et nous en voulions un prix juste. Nous étions pauvres, mais ne voulions pas dépendre de dons et d'aides financières. La vente de notre café à son juste prix nous permettrait de nous en passer. Mais où trouver des partenaires ? Nous étions en contact avec des groupes de solidarité aux Pays-Bas et en Allemagne. Ils voulaient justement acheter le café directement aux paysans, puis le vendre dans les Magasins du monde en Europe occidentale en passant par des canaux commerciaux alternatifs. Le volume de ces ventes resterait modeste, vu le développement encore restreint du marché des produits solidaires, mais ce serait un premier pas.

L'étape suivante consisterait à agrandir ce marché. Je ne pouvais agir dans ce sens depuis le Mexique, pourtant j'étais convaincu qu'il existait une demande en Europe, que suffisamment de personnes étaient prêtes à payer un peu plus cher pour du café équitable, à condition que ce dernier soit de bonne qualité. Pour cela, il fallait qu'il soit distribué au supermarché du coin. Mais comment y parvenir ? Je me posais la question depuis déjà un certain temps quand je rencontrai Nico Roozen à Utrecht. En lui, j'ai trouvé un véritable partenaire, et c'est ainsi qu'est né le label Max Havelaar.

Pour les petits producteurs, la construction de la coopérative et l'élargissement des débouchés représentaient une nette amélioration. Mais d'autres se réjouissaient moins de ces changements. Les intermédiaires qui, depuis des années, s'enrichissaient aux dépens des paysans, perdaient leur principale source de revenus. Ces petits revendeurs, le plus souvent au service d'un négociant, voyaient tout cela d'un mauvais œil. Lorsque UCIRI, très vite, organisa son propre service de bus afin d'offrir à chacun un transport à un prix accessible, la coupe fut pleine. Pendant des années, les coyotes avaient eu le monopole du transport. À présent, ils risquaient de perdre non seulement les bénéfices de la vente du café, mais aussi ceux de son transport. C'en était trop.

Les coyotes se manifestaient de toutes sortes de façons, par toutes sortes de tracasseries. Les pneus des camions UCIRI furent crevés plus d'une fois. Ceci entraînait des pertes de temps exaspérantes, car il est difficile de se procurer de nouveaux pneus en pleine montagne. Il fallait aller chercher de l'aide à pied, puis descendre dans la vallée pour en acheter de nouveaux. Cela pouvait prendre des jours et même des semaines. Mais les coyotes n'en restèrent pas là. Entre 1985 et 1992, plusieurs représentants des paysans furent éliminés par des tueurs à gage. Un jour, on tira à gros calibre depuis le chemin de montagne. Nous venions de fêter l'anniversaire d'UCIRI. J'étais déjà reparti chez moi, mais beaucoup de paysans avaient décidé de dormir sur place, parce qu'il était trop tard pour rentrer ou que c'était trop loin. On a tiré à la mitraillette sur la foule endormie ; il y a eu deux morts et plusieurs blessés.

Au total, 37 de nos hommes ont péri. Je ne compte pas seulement ceux que l'on a assassinés, mais aussi ceux qui se sont tués en voulant fuir la violence. Nous ne sommes même pas sûrs que les coyotes aient toujours été les seuls responsables de ces meurtres. Je n'exclus pas que l'armée ait joué un rôle. Le gouvernement n'était pas enchanté de voir les Indiens s'émanciper, il n'est donc pas impensable que les militaires soient intervenus. On ne le saura jamais.

Les temps étaient durs. J'ai conduit de nombreux enterrements à l'époque. Bien sûr, nous étions en proie au chagrin et à la colère, mais je peux dire que nous en sortions plus forts. La devise de UCIRI « Ensemble nous vaincrons » gagna en signification en cette periode-là. La seule manière de survivre était de s'unir. Tout le monde en était persuadé. Il faut ajouter à cela qu'au Mexique, on se soucie assez peu de la violence et de la mort. Même si cela paraît bizarre, on y est en quelque sorte habitué. Ici, la vie compte à peine. L'un vieillit, l'autre perd la vie à la fleur de l'âge, c'est comme ça. L'histoire mexicaine n'y est pas étrangère. La Révolution mexicaine, dans la période 1910-1920, a fait entre 1,5 et 2 millions de morts, c'est-à-dire un Mexicain sur huit. Après cela, on n'en est plus à un meurtre de plus ou de moins. On dirait qu'ils ont le meurtre inscrit dans le sang. Dans ce pays, on trouve un tueur pour quelques francs.

LA PRISON

En 1987, je me suis trouvé en fâcheuse posture. J'étais parti à pied avec trois jeunes paysans pour Saint-José, un petit village où UCIRI avait ouvert une école d'agriculture. Pour atteindre Saint-José, il fallait passer par Guigovelaga, un autre village qui n'était pas membre d'UCIRI et était gouverné depuis des années par un chef riche et autoritaire, coyote de surcroît. Impossible de contourner Guigovelaga, que l'unique route traversait. Le chef de village était tout à fait opposé aux pratiques d'UCIRI et avait entrepris, depuis quelque temps, de barrer la route à toute circulation. Un pistolet de chaque côté de la ceinture, il paradait au village et faisait en sorte que personne ne passe sans son autorisation. Notre école, en conséquence, n'avait pas été livrée depuis longtemps et la disette s'était répandue dans le village. Avec les trois paysans, je tentais d'atteindre Saint-José par la crête, mais nous fûmes arrêtés par des policiers de Guigovelaga.

On nous mit tous les quatre en prison, dans une espèce de réduit attenant à l'hôtel de ville. Un endroit sale, d'une puanteur épouvantable. Dans un coin sombre, un ivrogne dessoûlait. Je réalisai que nous nous trouvions dans une situation critique. Le chef du village pouvait très bien décharger sur nous ses deux pistolets, personne ne s'en soucierait. Pourtant je n'avais pas très peur. Nous avons vite découvert qu'à travers les barreaux de la fenêtre, nous pouvions entrer en contact avec les gens qui se trouvaient sur la place. Nous avons vite senti que nous avions leur sympathie. Ils nous apportèrent à boire et à manger.

J'ai alors demandé à quelqu'un de l'assistance d'aller me chercher une Bible. J'ai lu à voix haute et un peu plus tard, nous nous sommes retrouvés dans une sorte de cours biblique avec la population de la place. À l'aide de récits bibliques, j'ai essayé d'expliquer clairement quelle était notre mission et de montrer que nous n'étions pas de dangereux communistes. Le chef du village nous avait accusés de sympathie avec ces derniers. Notre message fut si bien perçu que la position même du chef commença à vaciller. Certains choisirent ouvertement notre camp. L'opposition — qui sans doute couvait depuis longtemps — se manifesta.

Bien embarrassé, le chef du village mit de l'eau dans son vin et, au bout de quelques jours, nous remit en liberté. Après coup, je m'aperçus que cette histoire m'avait plus affecté que je ne le pensais, comme si la peur, réprimée sur le moment, ressortait. Mais heureusement, cette peur rétrospective disparut rapidement. Non seulement nous avions survécu, mais cet événement eut des conséquences : le chef du village dut démissionner et la population de Guigovelaga rejoignit les rangs d'UCIRI.

La répression avait pour effet d'encourager la solidarité. Ce n'était pas la première fois que je le constatais. Pourtant, il ne régnait pas vraiment un esprit de vengeance parmi les paysans. Si la culture mexicaine est une culture de machos où la force brute est valorisée, chez les Indiens, par contre, on n'est pas enclin à la violence. À UCIRI, on commémore les anciens une fois tous les trois ans. On lit alors tout haut la liste des noms des défunts. Après chaque nom, l'assemblée répond : *presente,* afin de montrer que les morts sont toujours là. Ils sont pour ainsi dire encore parmi nous, et on ne les oublie pas. C'est pour nous un rituel important, mais pour le reste nous ne faisons pas étalage de nos martyrs. Nous commémorons nos morts avec fierté, mais en même temps nous maintenons notre attention centrée sur le combat des vivants pour une existence décente. Nous devons tous mourir un jour, faisons-le dans la dignité.

Après 1992, la violence s'est apaisée. De nombreux coyotes avaient de grosses difficultés sur le plan financier. Ils avaient perdu non seulement une grande part de leurs revenus, mais aussi d'énormes sommes d'argent en achetant les juges qui les poursuivaient pour meurtres. Ils ne se montrèrent plus dans les montagnes et s'installèrent dans la vallée. Après un début difficile, UCIRI pouvait enfin fonctionner sans entraves.

LA COOPÉRATIVE

UCIRI est formé de différentes organisations locales. Tout paysan qui adopte les principes d'UCIRI peut devenir membre de l'une de ces organisations. La condition requise est de ne pas être coyote, ni d'agir comme eux. Par exemple, celui qui achète à son voisin nécessiteux ne serait-ce qu'un sac de café pour le revendre avec profit se conduit comme un coyote. Ce type de pratiques n'est pas admis. Les différents villages élisent des représentants à l'assemblée générale d'UCIRI ; cette dernière est dotée d'un conseil d'administration et d'un comité de contrôle. Les représentants sont élus pour trois ans. De cette façon, tous ceux qui le veulent ont la possibilité de faire l'expérience de cette fonction. Ainsi, les charges se trouvent réparties et l'on évite le risque de voir resurgir des « petits chefs » locaux.

Enan Eduardo García Jimenez, petit cultivateur de café, est depuis juillet 1998 président d'UCIRI. Nous nous rencontrons souvent pour parler des affaires courantes. Il m'a avoué que sa nouvelle fonction avait quelque peu chamboulé sa vie de paysan. Pendant trois ans, il ne peut pas continuer à habiter chez lui, mais il doit s'installer à Lachiviza, le « quartier général » d'UCIRI. Lachiviza est le premier village digne de ce nom sur la route qui relie la vallée au massif du Juarez. De la ville d'Ixtepec jusqu'à Lachiviza, il faut à peu près une heure pour faire 40 km, du moins, par temps sec. À la saison des pluies, les pistes de terre battue sont souvent impraticables et Lachiviza est régulièrement coupé du monde pour une durée indéterminée. Quand les pluies entraînent un glissement de terrain, le chemin peut rester fermé pendant plusieurs semaines. Par mauvais temps, il n'est pas rare que l'on manque d'électricité : les tempêtes et orages entraînent facilement des coupures de courant qui touchent le village entier.

Avec Enan, je me promène dans les rues de Lachiviza, le « centre de ralliement » d'UCIRI. Il ne se limite pas aux bureaux de la direction et de l'administration ; on y trouve aussi un magasin, un poste de secours médical, un dentiste, et un laboratoire où l'on fabrique des médicaments à base de plantes médicinales. Cette activité est une initiative nouvelle visant à préserver les connaissances des ancêtres. Jusqu'ici, elles se transmettaient de parent à enfant par voie orale uniquement. Nous essayons de systématiser ces savoirs et de les utiliser à plus grande échelle. Les médicaments que nous préparons sont bon marché et fiables, et en tout cas moins nocifs pour l'organisme que ceux que prescrivent les médecins de la vallée.

Une autre initiative d'UCIRI consiste à créer des magasins. Le plus grand de Lachiviza a en stock tous les produits de première nécessité : papier toilette, huile, shampoing, sandales, bottes, sucre, jeans, savon et serviettes hygiéniques. UCIRI a également monté des magasins dans les « principaux villages de montagne. Nous achetons directement à la fabrique pour maintenir des prix bas.Toutes les boutiques se trouvent ainsi contraintes de

baisser leurs prix. Les coyotes et les chefs de village, détenant le monopole, avaient l'habitude d'imposer des prix
abusifs. Tant qu'il n'y avait pas de concurrence, ils pouvaient demander ce qu'ils voulaient. UCIRI a également
monté une fabrique de confiture. Dans notre région, on
récolte en grandes quantités cassis, mangues et fruits de
la passion. La fabrique, munie d'équipements modernes,
produit de la confiture et des jus de fruits pour le marché
local et international. Ces produits sont certifiés écologiques.

NOTRE PROPRE BRÛLERIE DE CAFÉ

Nous sommes fiers de la grande brûlerie de café que
nous avons construite en 1985-1986. À côté se trouve un
grand entrepôt où l'on conserve le café prêt à l'exportation.
Sur le mur de ce hangar, nous avons peint grandeur nature
le logo de Max Havelaar : il représente l'un des paysans,
sa corbeille de café sur le dos. Avec Enan, j'entre dans le
hall de la fabrique. On y a cessé le travail. Il a plu fort la
nuit dernière et il semble que des lignes électriques et des
canalisations aient été touchées.

Nous faisons le tour des sept machines différentes qui
traitent le *pergamino* — les grains que livrent les paysans.
Dans la première, dont nous pourrions traduire littéralement le nom par « dépierreur », les pierres et autres impu-
retés sont éliminées. Suit la phase la plus importante du
processus : l'enveloppe (*pergamino*) est séparée du grain
de café, ensuite les grains sont triés en fonction de leur
taille. Après le tri, ils sont respectivement traités dans deux
machines qui suppriment la pellicule argentée en combi-
nant vibrations et apport d'air. Pour finir, les grains passent
six ou sept fois par une machine actionnée par un moulin

à vent qui les débarrasse des poussières et opère la dernière sélection à l'aide d'un mécanisme assisté par ordinateur. Puis le café est versé dans de grands sacs de 70 kg, prêt à être exporté.

Nous aimerions traiter toute notre production, mais ce n'est pas encore à l'ordre du jour. Cela nécessiterait de gros investissements. Nous pourrions gagner beaucoup plus avec le produit fini qu'avec un produit brut qui doit encore être traité. Mais il ne sera pas simple de construire notre propre brûlerie, ne serait-ce qu'à cause des pressions qu'exerceront les torréfacteurs européens. Pourtant cela devrait être possible à terme, tant sur le plan technique que qualitatif, même si, en Europe, on en doute. Je pense que c'est la voie la plus logique. Nous produisons déjà le café nécessaire au marché national. Le café soluble que nous commercialisons est traité et emballé à Cordoba.

Après notre tournée des machines, nous allons nous installer sur un banc de pierre, sous l'arbre de Guanacastle. Ses branches touffues sont depuis toujours les témoins silencieux des nouvelles du village. Enan raconte ses impressions en tant que président d'UCIRI. Bien qu'il trouve intéressant d'assumer cette responsabilité et considère cette fonction comme un honneur, il lui fait peine, cependant, d'avoir abandonné sa petite exploitation. Sa femme assume seule à présent la maison et le travail. Les voisins l'aident, car le couple, hélas, n'a pas d'enfant. Au moment de la récolte surtout, elle ne peut se passer de bras supplémentaires. En plus du café, Enan récolte des oranges et des abricots et, comme la plupart des paysans, il cultive des haricots et du maïs pour son usage personnel. Ensemble, les habitants du village cueillent les mûres et les framboises que l'on trouve en quantité et en font des confitures.

L'exportation est une nouvelle activité d'UCIRI.

Enan explique pourquoi il tient à la diversification : « Il est préférable de ne pas dépendre exclusivement du café. Bien que son prix de vente soit beaucoup plus élevé à présent, la production de café ne suffit pas à couvrir nos besoins. Et puis, elle ne fournit pas de travail pour tous, nous allons donc exporter notre confiture. »

L'Union se consacre depuis peu à la culture d'arbres d'essences différentes. Ils servent à faire de l'ombre dans les plantations de café, ou de bois pour le feu. De plus, il est bon pour l'équilibre écologique de replanter des arbres originaires de la région.

La plus récente initiative d'UCIRI est la fabrique de vêtements de la ville d'Ixtepec, où l'on crée des postes pour de nombreux jeunes Indiens qui n'arrivent pas à trouver du travail dans la montagne. Enan explique que cette fabrique apporte une solution. Dans le passé, trop de jeunes Indiens ont quitté la région parce qu'il n'y avait pas suffisamment de travail pour eux dans l'exploitation de leurs parents ou dans les environs. Ils sont partis avec l'espoir de trouver de meilleures conditions d'existence dans les villes et d'y gagner beaucoup d'argent. Cela s'est souvent soldé par un échec. Les jeunes Indiens n'ont trouvé qu'une vie misérable dans les taudis de Mexico ou les faubourgs miséreux des villes américaines. Certains sont revenus au bout d'un certain temps sur leur terre natale ; mais celui qui a connu la grande ville a du mal à se réadapter. Cela est difficile également pour ceux qui ont servi dans l'armée nationale. Quelques-uns y ont connu la drogue et sont devenus dépendants. Une partie de ces jeunes toxicomanes s'est constituée en bandes qui rôdent dans les montagnes. Armés, ils attaquent de nuit les bus d'UCIRI et obligent les passagers à leur laisser tout objet de valeur. Pour ces êtres désespérés, c'est le seul moyen d'assurer leur quotidien.

Aujourd'hui, la nouvelle fabrique de vêtements d'Ixtepec offre une alternative aux jeunes. Elle leur permet de trouver un métier respectable et raisonnablement payé près de chez eux. Ils ne sont plus obligés de partir chercher du travail dans les grandes villes, mais ont la possibilité de construire une vie autonome dans leur propre environnement. « Les montagnes ont un avenir », disaient les jeunes récemment au cours de l'assemblée générale d'UCIRI. « Il est important de mettre fin à l'exode vers les villes, ajoute Enan. Le dépeuplement prenait des proportions inquiétantes. Si cette tendance s'était poursuivie, notre langue et notre culture auraient disparu en une génération. » La fabrique de vêtements crée des possibilités de travail et donc de nouvelles perspectives.

Le président d'UCIRI connaît exactement le nombre des adhérents de l'Union. D'après lui, 53 villages en sont membres actuellement. C'est-à-dire qu'environ 2 300 familles sont concernées activement par la coopérative. « Le nombre d'adhérents est stable, poursuit Enan. De temps en temps un village décroche, puis c'est un autre qui prend le relais, mais il n'y a pas de grands changements. » UCIRI couvre un territoire d'environ 250 km sur 150. Zapotèques et Mixtes sont les plus représentés, mais on y trouve aussi des Mixtèques et des Chontales.

Enan est d'origine zapotèque et parle sa langue à la maison. Son village est peu éloigné de Lachiviza : six heures à pied ou une heure de bus. Enan est heureux d'habiter à proximité de la route. Les jours de congé, il peut faire l'aller-retour dans la journée. La communauté d'Enan compte environ six mille âmes. Mais elle ne ressemble pas à la plupart des autres villages, où l'on vit les uns sur les autres. La communauté villageoise d'Enan est faite d'un bourg et de dizaines de *rancherias*, sorte de hameaux où vivent une cinquantaine de familles paysannes. Les diverses *rancherias* sont éloignées les unes des autres mais souvent, leurs habitants ont dans le bourg une hutte où ils peuvent passer la nuit après les réunions de village ou à la suite des grandes fêtes religieuses. La ferme d'Enan n'est pas loin du bourg où il peut acheter les produits de première nécessité : sucre, riz, sandales.

En dehors des magasins, UCIRI gère aussi une sorte de banque de crédit pour ses membres, elle dispose aujourd'hui d'un demi-million de dollars environ. On peut y emprunter à un taux d'intérêts de 12 pour cent, c'est-à-dire la moitié de ce que comptent les banques ordinaires. En cas de maladie, on peut emprunter sans payer d'intérêts du tout. Au mois de septembre — juste avant la récolte de café — la banque est beaucoup sollicitée. En avril, quand la récolte de café est rentrée, le poids des dettes commence à peser. Enan n'a emprunté qu'une seule fois à la banque : « Heureusement, pas pour cause de maladie. J'avais besoin d'argent pour changer mon toit. J'ai acheté de la tôle ondulée dans la vallée et cela coûte très cher. J'ai été obligé d'emprunter. »

Je suis heureux de constater les améliorations qu'a apportées la coopérative. Le principal, c'est qu'Enan et les autres membres d'UCIRI ont vu s'accroître leurs revenus. Enan fait le calcul devant moi : « Cette année, les coyotes paient 60 cents le kilo de café. Chez UCIRI, c'est 1,30 dollar, donc 20 à 25 pour cent de plus. En 2001, les prix ont tellement chuté que la différence entre le prix au marché local et le prix Max Havelaar approchait les 100 pour cent. » Enan pense que les hauts revenus ont fait la différence : il a pu améliorer sa maison, il dispose de plus d'argent pour manger et boire, et il pourra acheter des chaussures neuves si c'est nécessaire. Et toutes les structures autrefois absentes facilitent la vie d'Enan et des autres paysans : transport, service de santé, banque de crédit et magasins proposant des produits alimentaires à des prix abordables.

DE GRANDS CHANGEMENTS

Les paysans de Chayotepec sont contents eux aussi des grands changements apportés par UCIRI. C'est un village dynamique, où la plupart des habitants adhèrent à l'Union. Je m'y rends un mardi pluvieux de mai. Les pluies sont en avance cette année. Chez moi, dans la vallée, il a plu à torrents toute la nuit, et au-dessus des montagnes, de lourds nuages menacent. Mais je tiens à aller à Chayotepec aujourd'hui. Cela fait un moment que je n'ai pu m'y rendre et si le temps se déchaîne vraiment tout à l'heure, les chemins seront dans un tel état que le village risque d'être inaccessible pour une longue période. Entre ma maison et la voiture, il s'est formé une véritable mare. Le temps de la traverser et je suis mouillé jusqu'à mi-mollet. Ce n'est pas grave. Je porte toujours des sandales et les pieds sèchent vite.

Le début du chemin est encore en bon état et j'avance relativement vite. Mais dès qu'il commence à monter, je m'aperçois que la pluie l'a déjà bien abîmé. Comme elle ne cesse pas, je me demande si je vais continuer. Je crains d'avoir des problèmes au retour. Des chutes de pluie pourraient provoquer des glissements de terrain. Il me faudra alors attendre qu'on ait réparé le chemin. Cela peut durer plusieurs jours et, si ce temps continue, beaucoup plus longtemps. Au bout d'une heure, j'atteins Lachiviza, transformé en un étang de boue. Mais les nouvelles sont bonnes : on est entré en contact radio avec les villages de montagne, et il y fait sec. Je peux poursuivre ma route.

Chayotepec, but de mon expédition, fait partie de la

commune de Santa-Maria de Guienagati. Il y a déjà quelques années, un groupe d'habitants du bourg est monté à Chayotepec pour y planter des caféiers. Au début, ces gens n'y habitaient pas vraiment, mais ils y restaient quand ils avaient beaucoup à faire pour la culture du café. Officiellement, ils étaient inscrits à Santa-Maria, qui possède toutes les structures nécessaires. Mais Chayotepec s'est lentement agrandi, jusqu'à devenir un vrai village avec sa petite école et son poste de soins, la plupart des paysans s'y sont établis de façon permanente. Et c'est une bonne chose car aller de Santa-Maria de Guienagati à Chayotepec représente une véritable expédition : huit heures à pied ou une bonne heure en voiture ou en bus. À l'époque où fut créée UCIRI, tous les déplacements se faisaient à pied, même pour aller à Ixtepec, situé à deux jours de marche de Chayotepec. Le service de bus d'UCIRI a facilité considérablement les déplacements.

Lorsque j'arrive à Chayotepec, la pluie a cessé et un pâle soleil apparaît dans le ciel. Les arbres et les buissons gouttent encore et il reste partout des mares profondes. Des vapeurs se dégagent de la terre rouge et tout sent le vert et l'humide. Chayotepec est entouré de petites plantations de café. On accède aux caféiers, plus grands que hauteur d'homme, par des sentiers sinueux. Au mois de mai, les plants sont en fleurs. Les boutons apparaissent déjà. Si la pluie est au rendez-vous, les plantes fleuriront encore deux fois. C'est un spectacle splendide : de jolis petits calices blancs à cinq ou sept pétales. Les fleurs sentent bon et attirent les abeilles. Les pétales peuvent servir à préparer de délicieuses infusions.

Dès que je sors de la voiture, la moitié du village m'entoure. Ils m'ont entendu de loin et sont contents de ma visite. Une foule d'enfants courent pieds nus dans la boue. « Pourquoi n'êtes-vous pas à l'école ? » dis-je en désignant le petit bâtiment de béton en haut d'une des collines. Les instituteurs sont en grève et l'école est fermée pour une durée indéfinie. Les grévistes demandent une démocratisation de leur syndicat qui est de connivence avec le gouvernement. Le personnel enseignant s'oppose surtout à la politique de mutation : d'un jour à l'autre, et sans aucune forme de concertation, il faut parfois quitter son école pour aller dans une autre. Une grève de ce genre peut durer des mois et on utilise aussi l'école du village pour y stocker les matériaux de construction. Les 23 élèves de l'école sont en congé. Officiellement, les journées de cours perdues devront être rattrapées par la suite, mais je doute fort que ce soit le cas.

Rosendo Diaz Cabrera, président du village, m'invite à prendre un café chez lui. Je l'accompagne jusqu'à la hutte en argile où je suis accueilli par sa vieille mère et ses chiens. L'intérieur baigne dans la pénombre. La mère de Rosendo, Guadelupe Lopez Cabrera, fait chauffer de l'eau dans une casserole noircie, au-dessus du feu de bois. La batterie de cuisine se compose d'une ou deux casseroles, de cuillères, de quelques assiettes et gobelets en plastique. Guadelupe prend son café dans une boîte de conserve cabossée. Comme les autres femmes du village, elle porte le costume zapotèque. Sa longue jupe est faite d'une étoffe brillante de couleur orange avec de petites fleurs jaunes et roses. Par-dessus, elle porte un caraco court et richement brodé. Elle a relevé en chignon ses longs cheveux noirs. Son visage est tanné et ridé par le soleil. En tournant le café, elle s'informe de ma santé et de mes activités.

Je me suis assis à la table branlante, au-dessus de laquelle pendent les viscères d'un cochon. Une fois les tripes séchées, on les grille au-dessus du feu de bois et on en agrémente les haricots noirs. Au mur d'argile sont accrochés des cruches en terre, un panier et des bouquets d'herbes aromatiques. Guadelupe me tend un gobelet. Le breuvage est tellement sucré qu'il ressemble plus à une sorte de sirop qu'à du café. Elle me donne un quignon de pain gris que je trempe pour le ramollir. Rosendo a été s'asseoir sur un petit banc bas et ne dit pas grand-chose. Dans cette maison, c'est sa mère qui commande et elle a quantité de choses à raconter et à demander dans un mélange d'espagnol et de zapotèque.

Guadelupe m'apprend que le vieil entrepôt où l'on stockait le café s'est effondré l'année dernière. Cette bâtisse, construite en argile, n'avait pas résisté aux pluies abondantes. Il n'en était resté qu'un gros tas de boue. Maintenant que la récolte est finie, les hommes du village ont commencé à construire un nouveau local. C'est un gros travail car tout est fait à la main. Mais ils ne sont pas pressés et y travaillent avec plaisir. Ils ont utilisé les bénéfices de la vente du café-UCIRI pour acheter des briques et du ciment, ce qui promet une construction solide.

Après le café, je sors de la maison avec Rosendo pour aller voir où en sont les travaux de l'entrepôt. Il me signale que tous les cultivateurs de café de Chayotepec sont passés à la culture organique. Ils utilisent de nouvelles techniques. « Ça représente plus de travail, mais au moins, nous ne polluons plus, dit Rosendo. Quand on travaille mieux, on produit plus, et le café que nous cultivons actuellement est de meilleure qualité. » À présent, nous fabriquons le compost avec de la terre et de la pulpe de café, un peu de chaux, des feuilles, de la fiente de poulet et de la bouse de vache. L'engrais artificiel que l'on utilisait de temps en temps était non seulement polluant, mais aussi très cher. De plus, il durcissait la terre qui se refermait sur les plants, si bien qu'une grande partie d'entre eux se desséchaient. Maintenant que l'on est passé à la culture organique, la productivité a augmenté.

LES ÉCOLES ET LES SOINS DE SANTÉ

Pour les habitants de Chayotepec, la fondation d'UCIRI a marqué une nouvelle époque. On parle d'avant et d'après UCIRI. Les changements réalisés depuis la venue de la coopérative sont de taille. Le temps des coyotes qui achetaient le café à un prix dérisoire est définitivement révolu. Cependant, ce passé continue à vivre dans les mémoires. « Nous ne savions pas du tout que notre café était d'aussi bonne qualité, dit un des paysans indigné. Nous nous contentions du bas prix que le coyote fixait, parce que nous avions grand besoin des produits qu'il proposait — sucre, huile, vêtements. Heureusement, nous ne dépendons plus de ces gens-là. »

Tout le monde se réjouit à Chayotepec de l'augmentation du prix de vente du café, et les améliorations dans le domaine de la santé, des transports et de l'enseignement ont un impact important sur leur vie. Cette année, le village a pu envoyer cinq élèves à l'école d'agriculture d'UCIRI, à San José el Paraiso. « C'est très important, pour nous, affirme Rosendo Diaz Cabrera. Si nous pouvons offrir une formation à nos jeunes, ils ne songeront plus automatiquement à partir. Ils apprennent tout sur l'agriculture et reviennent dans leur village appliquer leurs connaissances. C'est autre chose que tous ces jeunes qui partent vers les villes. »

Les petits producteurs de café, pas plus que Rosendo, ne comprennent le désir de nombre de ces jeunes de quitter les montagnes. Ils veulent tenter leur chance aux États-Unis et espèrent y devenir riches rapidement. Mais au fait, pourquoi ? « Ce pays donne tout, à ceux qui sont prêts à travailler, dit Rosendo. À quoi bon avoir une grosse voiture, quand on peut habiter ici où il y a à manger pour tout le monde ? » Nous voulons que la famille reste unie et habite le sol de nos ancêtres. Nous sommes nés de cette terre et nous y reposerons plus tard.

Nous ne cherchons pas à gagner beaucoup d'argent. Tout ce qui est important, nous l'avons ici à portée de la main. Jadis nous avons connu la misère et il n'y avait pas toujours suffisamment de nourriture. Mais maintenant que nous sommes membres d'UCIRI, tout a changé. Non seulement notre café nous rapporte plus, mais nous avons repris la culture des haricots et du maïs. Tous nos besoins de base sont satisfaits. Que pouvons-nous souhaiter de plus ?

Nous avons récemment calculé que le revenu des petits producteurs de café de Chayotepec et des autres villages s'élève à présent à 2 dollars par jour, environ. C'est une amélioration notable si on la compare aux 80 cents d'avant la création d'UCIRI. Pourtant, le petit producteur de café, avec ce salaire journalier, est encore loin du salaire minimum de 3,30 dollars en vigueur à Mexico. Voilà pourquoi l'on insiste tant sur la diversification. Le seul café ne permet pas aux paysans du massif de Juarez de vivre décemment. C'est pour cette raison que nos efforts vont porter à présent sur les usines de confiture et de vêtements.

NICO ROOZEN — MAX HAVELAAR : UN NOUVEAU TYPE DE CONSOMMATION

Le discours d'Isaías Martinez, petit producteur de café mexicain, m'a ouvert les yeux. J'avais longtemps cru que le principal objectif du commerce équitable était d'acheter à meilleur prix au paysan du tiers-monde. C'est ce qu'on pensait dans les Magasins du monde. Au cours des années où j'y travaillais comme bénévole, je trouvais que l'aspect essentiel de notre travail résidait dans la prime payée aux producteurs. En entendant le discours d'Isaías, j'ai réalisé que cela ne suffisait pas.

Isaías a fait le calcul devant moi : « Si ma coopérative vend deux mille balles de café aux Magasins du monde par l'intermédiaire d'un circuit alternatif, ce sera formidable. Pour ce café, nous aurons obtenu plus que nous n'aurions pu obtenir sur le marché mondial. Mais suppose que notre coopérative produise quatorze mille balles. La vente par les circuits alternatifs étant limitée, les paysans seront obligés de vendre les douze mille balles restantes au cours du marché, c'est-à-dire à un prix très bas. En fin de compte, la vente des deux mille balles aura été négligeable par rapport aux revenus annuels des producteurs. Pour que le commerce équitable ait un véritable effet, il faut regarder plus loin que le simple prix. Deux facteurs sont en jeu : *le prix multiplié par le volume*. Si le volume est petit, on parlera d'une *politique symbolique*. Pour nous, "le prix juste" et le prix réel ne se recouvrent pas. »

L'analyse d'Isaías Martinez était claire. Il n'avait pas tort. Nous n'avions pas pris en compte les effets d'échelle. Nous avons remis nos paquets de café équitable sur les étagères, à l'usage des consommateurs critiques et politisés, qui fréquentent les Magasins du monde. Ils connaissent le degré d'injustice qui préside aux relations économiques internationales et ont fait un choix. Ils sont même prêts à faire un détour pour faire leurs courses. Ce sont des gens fantastiques, mais hélas peu nombreux. Le commerce du café, au bout d'une quinzaine d'années de vente alternative, n'a pas dépassé 0,2 pour cent de la consommation totale aux Pays-Bas.

L'IMPORTANCE DES EFFETS D'ÉCHELLE

Il fallait que les choses changent. Si l'on continuait comme ça, la solidarité se limiterait à un petit groupe et nous n'atteindrions qu'une très faible partie du marché. Les petits producteurs tireraient peu de profit de nos efforts. L'analyse d'Isaías Martinez mettait en relief un point capital : l'échelle de notre programme économique.

Pour les paysans d'UCIRI, la solution était évidente : « Notre café à un prix juste doit être en vente dans les supermarchés. » Il fallait que notre café soit à la portée du consommateur moyen, là où il fait ses courses. En termes économiques, cela signifierait une baisse des coûts de transaction et la mise en place d'une distribution optimale. Cela permettrait d'acheter aux coopératives paysannes un volume important puisque lié à un débit accru. C'était la seule manière de garantir au petit producteur un revenu décent qui, à long terme, lui permettrait de financer les innovations sociales et écologiques indispensables.

Du café à un juste prix dans chaque supermarché, ceci me semblait une étape logique et je pensais y parvenir assez vite. Je n'avais pas idée de l'énergie qu'il faudrait pour en surmonter les difficultés.

Au restaurant de la gare, Frans et moi nous étions quittés en nous partageant les rôles. Il continuerait, au Mexique, à monter la coopérative avec les petits producteurs et à produire un café de qualité. Je ferais en sorte que son café se vende à un prix équitable.

Par où commencer ? À ce moment-là, je venais juste d'obtenir un poste à Solidaridad, l'Organisation interconfessionnelle de développement pour l'Amérique latine. L'organisation avait mis sur pied, au cours des dernières années, plusieurs campagnes qui, chacune, abordaient un des problèmes suivants : les paysans « sans terre », les causes structurelles de la sous-alimentation, la dette des pays du tiers-monde. Il s'agissait surtout de campagnes d'information.

Il fallait aller plus loin. Certes, il était important d'informer, mais la réussite d'une campagne impliquait aussi un changement de comportement et, à terme, un changement de structures. Le travail solidaire, dans cette approche, connaît trois temps : voir, juger, agir.

L'information vise la compréhension. La prise de conscience permet ensuite l'action et celle-ci doit être liée aux changements structuraux indispensables. Les organisations de développement ne doivent pas se limiter à une aide aux pays du Sud, mais avoir pour objectif une modification des structures existantes.

Pour favoriser les changements dans le tiers-monde, nous devons examiner attentivement notre société, ses choix politiques et son organisation économique. Notre comportement participe-t il à la solution, ou au problème ?

J'avais envie d'appliquer ces concepts à la branche café. J'arrivai à convaincre Solidaridad qu'il fallait mener une véritable action en faveur du café, plus qu'une simple information. Il fallait mettre le public au courant des problèmes des petits producteurs, mais aussi des possibilités concrètes de modifier sa manière de consommer.

La première phase de la campagne fut très simple : essayer d'augmenter la quantité de café « solidaire » vendu dans les églises et les Magasins du monde. Je n'envisageais pas alors d'augmentation décisive du volume. Je voulais voir si nous pouvions passer de 0,2 pour cent à 0,5 pour cent. Cela me semblait raisonnable dans un premier temps.

UN PREMIER REFUS

Au même moment, je me plongeai dans l'étude de la branche du café. Il me sembla sage d'approfondir mes connaissances dans ce domaine afin de donner à Solidaridad des éléments nouveaux susceptibles de renforcer sa campagne. Je pris contact avec Hans Levelt, directeur de la société de torréfaction Simon Levelt à Amsterdam qui jouait un rôle important dans le commerce alternatif. Je lui fis part de mes projets, lui expliquai que je voulais mettre le café en vente dans les supermarchés et lui demandai ce qu'il en pensait. Hans Levelt me fournit des réponses détaillées sur l'organisation de la branche, les acteurs du marché, la formation des prix. Il me parla de l'arabica, du robusta et de l'art de mélanger dix ou douze sortes de café pour obtenir le mélange voulu. Avec la patience d'un maître, il m'introduisit au sein de cette branche. Il prit le temps qu'il fallait et m'apporta une aide précieuse.

J'ai particulièrement apprécié l'appui immédiat que Hans Levelt a apporté à mes projets, alors que mes belles idées pouvaient menacer sa propre société. La firme Simon Levelt, une petite entreprise artisanale, s'était spécialisée dans le commerce équitable du café et avait joué un rôle de pionnier dans le passage à une production biologique. Et voilà que j'arrivais avec mon projet : faire vendre du café équitable au magnat du café, Douwe Egberts. Ce n'était pas vraiment dans l'intérêt de l'entreprise de Levelt. Mais ce dernier fit preuve de caractère et se montra prêt à servir un intérêt social plus large. Quand je suis entré en conflit avec la minorité influente du mouvement des Magasins du monde, j'ai souvent repensé à l'appui inconditionnel de Levelt. Par peur d'une baisse du volume des ventes, un groupe de personnes, à l'intérieur du mouvement, s'était opposé à la création d'un label pour le café équitable. L'attitude solidaire de Hans Levelt, un homme d'affaires, était exemplaire.

C'est aussi lui qui me mit sur la bonne voie. Il me dit : « Si tu veux que les grands torréfacteurs prennent leurs responsabilités, il faudra discuter avec eux. » L'idée me parut bonne, mais qui était le patron de Douwe Egberts et comment obtenir un entretien avec lui ? Hans m'ouvrit alors les portes de ce monde totalement inconnu pour moi, en me remettant la liste de noms et d'adresses des chefs d'entreprise de la branche café. Je pouvais commencer ma tournée des torréfacteurs hollandais.

J'étais plutôt optimiste sur la suite de mes projets et je décidai de m'y donner à fond. J'écrivis un véritable plan d'action et traçai les contours du règlement nécessaire au label. Pour l'occasion, j'enfilai mon plus beau costume et me rendis chez les dirigeants de Douwe Egberts, De Drie Mollen, Tiktak et enfin Marvelo, la société de torréfaction d'Albert Heijn[1].

---

1. L'une des plus grandes chaînes de distribution des Pays-Bas. *(N.d.T.)*

Les résultats furent assez décevants. Certes, on me reçut, mais je m'aperçus vite que mon plan ne suscitait guère d'enthousiasme. On ne voulait pas croire que de petits paysans puissent produire du bon café, et on exprima des doutes sur le suivi des livraisons. Je me rendis compte que qualité et suivi étaient des éléments déterminants dans toute opération commerciale. De plus, ils étaient persuadés qu'il n'existait pas de groupe permanent de consommateurs prêts à payer plus cher un café éthique. Les consommateurs critiques et responsables ne formaient, d'après eux, qu'une frange minime du marché. Ils tranchèrent net : « Impossible, il n'existe aucun marché dans ce domaine. »

« ON N'ACHÈTE PAS SEULEMENT UN PRODUIT, ON ACHÈTE À QUELQU'UN. »

Après ma tournée des torréfacteurs, j'étais très déçu. Je récapitulais les arguments que l'on avait opposés à mes projets. Peut-être les torréfacteurs avaient-ils raison de refuser ? Existait-il un groupe suffisant de consommateurs critiques et responsables ? Un marché de produits éthiques ne se monte pas tout seul. Dans ce domaine aussi, il faut d'abord créer une demande. Tant que le consommateur moyen n'est pas au courant des abus inadmissibles de la filière café, tant qu'il ne connaît pas les conditions de vie misérables des petits producteurs, la réalité économique du café lui échappe totalement. Il faut que cesse l'anonymat du marché. Notre mot d'ordre devint : « On n'achète pas seulement un produit, on achète à quelqu'un. »

On ne pouvait pas assez insister sur la réalité de l'univers du café. Je repris contact avec Frans van der Hoff au Mexique. Solidaridad ferait venir aux Pays-Bas plusieurs paysans appartenant à la coopérative de café UCIRI, pour leur permettre de faire passer leur message. Quelques mois plus tard, les paysans mexicains firent le tour des Pays-Bas et surent tirer parti des médias.

Je m'interrogeais : ne devrions-nous pas inviter les torréfacteurs à cette tournée ? Une telle conception se rapprochait d'une nouvelle tendance qui se dessinait au sein des mouvements sociaux en Amérique latine : de *protesta* à *propuesta*. On voulait, après une phase où on avait mis l'accent sur la revendication et l'action — *protesta* —, passer à une autre phase et tenter de proposer — *propuesta* — et chercher à instaurer un dialogue. Ce nouveau modèle m'enthousiasmait. Il ne suffisait plus de dénoncer les abus dans l'industrie du café, il fallait organiser un entretien avec l'Union des torréfacteurs et des conditionneurs de thé, la VNKT. Les décideurs parlent beaucoup de café et ils savent tout sur sa qualité et la manière d'en fixer le prix, mais ils n'ont jamais vu un petit producteur de leur vie. Le marché est anonyme. Le prix est fixé à New York. Le paysan doit retrouver une place dans ce paysage.

J'envoyai à la VNKT une invitation pour venir parler avec les petits producteurs mexicains d'UCIRI. À ma grande surprise, les responsables répondirent. Il faut croire que l'atmosphère, dans leurs entreprises, était déjà en train de changer. Ils avaient été à bonne école. En 1973, leur branche avait eu à subir un boycott du café en provenance d'Angola, alors colonie portugaise. L'« action Angola » avait laissé des traces. Ils avaient appris qu'il ne sert à rien de faire la sourde oreille. Mieux vaut réfléchir avec les groupes d'action que de provoquer une confrontation. Après l'action Angola, la VNKT avait fait le point et tiré ses conclusions : elle accepta l'invitation.

Après mûre réflexion, M. Van der Vijver, P-DG de Douwe Egberts, choisit le dialogue avec les petits paysans producteurs du Mexique. On posa même ensemble pour la photo. Une belle page dans le journal ! Ces messieurs les torréfacteurs prirent la pose à côté des paysans indiens des montagnes du Sud mexicain. Cet étalage public ne signifiait pas que les torréfacteurs étaient, tout à coup, plus favorables à l'idée d'un label pour un café équitable. Aucun d'entre eux n'était prêt à travailler avec les paysans qu'il voulait tant voir figurer à ses côtés sur la photo. Je réalisai que cette piste conduisait à une impasse. Le noble projet d'un label pour le café éthique semblait mourir de sa belle mort avant même d'avoir vu le jour.

SOLIDARIDAD EST-ELLE EN MESURE D'OUVRIR LE MARCHÉ ?

En fait, il n'existe pas aux Pays-Bas de libre marché du café. Il n'y a qu'un acteur important, Douwe Egberts. Ce géant du café détient, sous diverses appellations, plus de 70 pour cent du marché. À côté de Douwe Egberts, on trouve quelques sous-traitants qui torréfient les marques propres aux supermarchés et une série de petites et moyennes entreprises qui fournissent essentiellement les collectivités. Le directeur de Douwe Egberts, Van der Vijver, fut très clair : il ne voyait pas l'intérêt d'un label. Ce que Solidaridad voulait n'était pas conforme aux pratiques du marché et ne pouvait qu'échouer. De plus, Van der Vijver ne voulait sous aucun prétexte entendre parler de « politique » dans son entreprise. Il me démontra que l'introduction de points de vue politiques pouvait discréditer la branche entière et donner au café une mauvaise image. Or, cette image était précieuse.

Le temps était venu pour une autre stratégie. J'appelai Frans à Mexico pour lui dire que mes entretiens avec les grands de la branche n'avaient débouché sur rien. « Ils n'y croient pas, ils ne veulent pas, dis-je à Frans. Il n'y a rien à faire. » Les nouvelles étaient décevantes, mais nous n'allions pas abandonner notre projet pour autant. Si les entrepreneurs ne voulaient pas nous faire de place, nous prendrions nous-mêmes les choses en main.

Nous avons élaboré la mise sur pied d'un nouveau label : café équitable. La marque en serait Max Havelaar et il serait distribué par Solidaridad. Cette façon de faire impliquait pour Solidaridad la création d'une entreprise, qui achèterait le café brut auprès des coopératives et l'introduirait sur le marché. La torréfaction et le mélange seraient sous-traités. En faisant le tour des sociétés, j'avais remarqué que c'était un usage relativement courant. Les supermarchés ont leur propre marque, mais ils confient la transformation à des tiers.

Je découvris alors que la mise en place d'une marque demandait une énergie considérable. Il me fallut presque un an pour développer un plan élaboré. Au début, je n'avais pas la moindre idée de ce que je devais faire. J'avais fait des études de théologie, je n'avais pas appris à établir un projet d'entreprise. J'allai chercher à la bibliothèque une pile de livres d'économie, surtout des ouvrages destinés à l'enseignement professionnel. Je pris des renseignements auprès du Bureau d'aide aux PME et commençai peu à peu à me familiariser avec ces notions.

D'après mes calculs, Solidaridad devrait réunir quelque 7,5 millions de florins pour mettre en vente le café Max Havelaar. En premier lieu, il fallait 2,5 millions d'apport personnel. Pour les 5 millions restants, nous devions obtenir des crédits bancaires. Pour qu'ils soient couverts, j'ai démarché toutes les institutions et organisations possibles. Pour convaincre, il m'a fallu revenir à la charge. On restait sceptique. Ce que demandait Solidaridad n'avait jamais encore été mis en pratique et l'incertitude régnait. Cependant, nous avons tout de même trouvé des partenaires intéressés.

Je gardai le contact avec les entreprises. Je ne laissais passer aucune occasion de démontrer que nos projets étaient sérieux et que la marque Max Havelaar s'imposerait. Je commençai aussi à rencontrer divers responsables de supermarchés pour les persuader de proposer notre café, parmi lesquels M. Dorsman, alors directeur des magasins Albert Heijn. Je lui demandai si, à terme, Albert Heijn était prêt à ajouter la marque Max Havelaar à son assortiment. L'enjeu était de taille. Nous avions à cœur de convaincre ce leader commercial.

M. Dorsman me mit en contact avec M. IJskens, directeur de Marvelo, la brûlerie d'Albert Heijn, établie à Zaandam. C'était un homme religieux et conservateur à mille lieues de nos projets de café éthique. Il testait sans arrêt mes connaissances sur le café et essayait de savoir si nos plans étaient sérieux. Le projet, que j'étais désormais à même d'exposer, l'impressionna. Mais il désapprouvait l'implication d'organisations religieuses dans ce domaine et ne le cachait pas. Parmi les principaux bailleurs de fonds se trouvaient les diaconats mondiaux des deux Églises protestantes néerlandaises, une Église catholique, et l'association interconfessionnelle Solidaridad. « Voilà que l'argent de la quête va à ce genre d'action maintenant ! » lança-t-il avec hargne.

Je laissais passer ce genre de remarques, et soutenais que la nouvelle marque serait dans quatre mois en rayon. « Le projet est financé, les coopératives sont prêtes à livrer leur café et les premiers supermarchés ont déjà décidé de le proposer à leurs clients. » C'était du bluff.

Les projets avaient fait leur petit effet sur ces messieurs d'Albert Heijn. Ils commencèrent à réaliser qu'une nouvelle marque de café allait apparaître sur le marché, livrée par un nouvel acteur. Ils n'en étaient pas particulièrement heureux. Je reçus alors des nouvelles de M. Dorsman : « Si ce projet se réalise vraiment, je préfère un label. Nous préférons assurer nous-mêmes la régie. »

La situation était pour le moins cocasse. Dans une phase précédente, j'avais fait le tour des entrepreneurs pour leur proposer un label. Je n'avais pas été entendu, j'avais modifié mes plans et travaillé dur à une nouvelle marque. Je ne fis pas remarquer mon étonnement et réagis positivement. Avec un grand soupir, je mis mes projets au placard. Une nouvelle tâche se profilait : définir les conditions du label. Solidaridad revenait à son premier choix : plutôt un label qu'une marque. Ce n'est tout de même pas le but d'une organisation de développement que de remplir le rôle d'entrepreneur. Grâce au label, une société entreprend de façon durable, en étant soumise à un contrôle extérieur. C'est le rôle des organisations de développement de créer les conditions de cette pratique. Cependant, sans la menace d'une nouvelle marque, Albert Heijn n'aurait jamais changé d'avis et n'aurait jamais ouvert la porte au café Max Havelaar.

Pendant les semaines qui suivirent ce tournant décisif, la collaboration avec la chaîne de magasins fut optimale. Albert Heijn créa une commission qui devait définir avec Solidaridad les règles du label. Trois collaborateurs de la grande distribution travaillèrent avec notre organisation de développement. J'eus de fréquents contacts avec M. Overdiep, pionnier de ce que l'on devait appeler par la suite les codes éthiques de l'entreprise. Ce monsieur apporta une contribution déterminante à la mise en place d'un règlement et sut désamorcer en grande partie les résistances de son propre camp contre l'instauration du label Max Havelaar.

Nous avions de nombreux entretiens et nous constations que l'envergure de notre projet augmentait avec le temps : c'était encourageant. Une étude de marché montra que 7 à 15 pour cent des consommateurs néerlandais étaient prêts à dépenser un peu plus pour un café produit dans le respect des normes sociales et écologiques. Ces pourcentages impressionnèrent favorablement la branche café.

LE DOUTE S'INSTALLE DANS LES MAGASINS DU MONDE

Pour mieux apprécier la tendance, les grands industriels du café lancèrent toute une série de nouvelles études de marché. Elles montraient qu'une partie significative des consommateurs préférait un café équitable, ce qui n'empêcha pas les responsables du groupe Douwe Egberts, par exemple, de s'opposer avec force à l'introduction d'un label. Le patron du groupe, M. Van de Vijver, me dit avec une certaine arrogance : « Nous accordons à votre petit club tout au plus 4 pour cent du marché. Si vous les dépassez, nous avons le choix entre deux options : nous vous chassons du marché ou nous nous joignons à vous. » Je lui suggérai, si c'était le cas, de se joindre à nous.

Le responsable de Douwe Egberts était prêt à tolérer 4 pour cent de parts de marché, pas plus. Après un froid calcul, il déclara : « Nous ne voulons pas être mêlés à vos histoires, mais si le coût de la perte de parts de marché est plus élevé que le coût d'une collaboration avec Max Havelaar, j'envisagerai alors sérieusement votre proposition. »

En même temps, pour Albert Heijn, une coopération avec Max Havelaar devenait plus intéressante du fait des résultats favorables de diverses études de marché. Une marque de café Albert Heijn, torréfié dans ses propres entreprises et portant le label Max Havelaar, serait une nouvelle arme dans sa concurrence avec Douwe Egberts.

Notre base se retrouvait dans une situation complexe : Solidaridad avait plaidé pour une nouvelle marque, et maintenant le label avait le dessus. Les Magasins du monde en eurent des échos, la critique enfla. « Mais que fait donc ce Roozen ? Il devait s'occuper d'une nouvelle marque, et maintenant voilà qu'il discute avec les diri-geants d'Albert Heijn et même de Douwe Egberts. » J'avais du mal à me défendre contre toutes ces rumeurs et ces attaques car les pourparlers étaient confidentiels. Je ne voulais rien dévoiler de ces entretiens : il était indispen-sable que je reste, pour les sociétés, un partenaire loyal.

Face aux critiques qui venaient de l'intérieur du mou-vement des Magasins du monde, j'avançais que l'adoption d'un label Max Havelaar n'aurait pas de répercussions négatives sur leur chiffre d'affaires. J'en étais intimement persuadé. Au contraire, une fois que le café équitable serait distribué par les supermarchés, le rayonnement et la valeur de l'appui des pionniers en sortiraient grandis.

Un autre groupe s'éleva, par principe politique, contre la collaboration avec les torréfacteurs et les supermarchés. C'était une minorité, mais elle dominait le débat. Les opposants au label critiquèrent aussi le manque d'informa-tion vis-à-vis du client. Dans les Magasins du monde, on attachait une grande valeur à l'information et à la prise de conscience. La vente était un moyen d'impliquer les citoyens. Un supermarché n'est pas un lieu d'information et on se demandait si le consommateur du produit Max Havelaar le choisirait consciemment. Je rejetai ce raison-nement, que je trouvais paternaliste.

Je fus invité à un congrès national des Magasins du

monde pour y expliquer l'initiative de Solidaridad. Je n'arrivai pas à convaincre tout le monde. Une motion fut adoptée avec une toute petite majorité : elle se prononçait contre l'adoption d'un label Max Havelaar. Ce fut un mauvais moment.

Pourtant, il fallait poursuivre. En dépit des nombreuses critiques, Solidaridad continuait à investir beaucoup de temps dans le débat avec les Magasins du monde. Peu à peu, les appuis augmentèrent, la critique reflua. Quelque temps plus tard, l'union des Magasins du monde décida de déléguer un observateur au Conseil d'administration de l'association Max Havelaar, fondée entre-temps. Des mesures furent prises pour renforcer la confiance et éviter une bipolarisation fâcheuse. Nous savons maintenant qu'il n'y a eu aucune baisse du chiffre d'affaires.

ALBERT HEIJN HÉSITE ET MENT

Soudain, la situation se retourna. La collaboration avec Albert Heijn, prometteuse à ses débuts, déboucha sur une déception. Le règlement du label était prêt, grâce à l'expertise des collaborateurs d'Albert Heijn. Solidaridad avait invité un grand nombre d'organisations sociales à prendre place au sein du Conseil d'administration de l'association Max Havelaar pour que le label fût soutenu par un large spectre social. Les préparatifs d'introduction sur le marché avançaient. Apparemment, rien ne s'opposait plus à la réalisation de nos projets.

D'un seul coup, les relations avec la chaîne se refroidirent. La communication fut interrompue brusquement. Impossible de joindre les personnes avec lesquelles j'avais travaillé intensivement pendant des mois. La firme ne respecta pas ses engagements, ne fixa pas à temps les dates des livraisons prévues. La situation était étrange. Pendant plusieurs semaines, je ne parvins pas à comprendre ce qui se passait. Je n'osais pas forcer les choses et hésitais à demander des explications. Il ne fallait pas mettre en danger nos relations avec le plus gros épicier des Pays-Bas. Qu'était-il arrivé ? Albert Heijn avait-il changé d'avis ? J'en étais réduit aux hypothèses.

Des années plus tard, j'appris ce qui s'était passé. Albert Heijn avait changé de cap à la suite de discussions au plus haut niveau. M. Albert Heijn en personne et Van der Vijver, le responsable de Douwe Egberts, avaient mis au point une politique commune. Van der Vijver avait exprimé son aversion pour l'initiative Max Havelaar. Chacun d'eux était fermement opposé à l'idée de « faire entrer la politique dans le magasin », comme on disait à l'époque. Les jeux étaient faits, M. Dorsman fut rappelé à l'ordre et il dut interrompre toute collaboration avec nous. M. IJskens se réjouit de cette position, M. Overdiep s'en désola. Du jour au lendemain, je n'avais plus aucun contact avec les personnes avec qui j'avais discuté tous les jours.

Cet exemple illustre bien comment d'éventuels changements se produisent dans les entreprises. Il y a discussion et lutte interne. Les interprétations diffèrent. Il existe une avant-garde et une arrière-garde. Il s'avéra plus tard que M. Albert Heijn avait fait une erreur majeure. Il se croyait assez puissant avec le groupe Douwe Egberts pour empêcher la distribution du café Max Havelaar dans les supermarchés. L'histoire allait prouver le contraire.

Sur le moment, la dérobade d'Albert Heijn fut pour nous une catastrophe. Solidaridad se retrouvait à nouveau les mains vides. Les projets de nouvelle marque avaient été retirés à la demande d'Albert Heijn pour être remplacés par un label. Et maintenant, le label était sur une voie de garage.

La situation était terrible. Nous nous trouvions dans une impasse. Albert Heijn pouvait se retirer, mais Solidaridad ne pouvait faire marche arrière. Des accords avaient été pris avec les coopératives et les paysans comptaient sur leurs livraisons de café équitable. Solidaridad avait beaucoup investi pour préparer son lancement. Le Prince Claus devait recevoir en novembre le premier paquet de café Max Havelaar des mains du professeur Jan Tinbergen. Les rendez-vous avaient été pris, tout était prêt. Il ne restait plus qu'une possibilité : Solidaridad devait poursuivre, mais sans Albert Heijn.

NOUVELLES RIPOSTES DE DOUWE EGBERTS

Nous n'avions pas le choix : le géant Douwe Egberts était un adversaire puissant. Albert Heijn s'était retiré. Aux Pays-Bas, il restait trois sociétés de torréfaction de taille moyenne, qui avaient leurs propres marques. Au cours des années 60, elles avaient été éliminées des magasins et fournissaient seulement à la restauration, aux écoles et aux entreprises. Il fallait travailler avec l'une d'entre elles, c'était la seule issue. J'appelai Jan Fokkinga de la firme Neuteboom à Almelo, lui expliquai la situation et lui demandai : « Tu oserais prendre en charge le premier paquet de café Max Havelaar ? » Pour la firme Neuteboom, une participation au label Max Havelaar constituait une option intéressante. Cela pouvait être l'occasion de retrouver une place dans les supermarchés. Cet intérêt stratégique pouvait servir de base à notre collaboration.

S'ensuivirent d'intenses concertations et un nouveau projet. Un samedi matin de juin 1988, j'allai voir Jan Fokkinga pour travailler là-dessus. Nous fûmes interrompus par un coup de téléphone. Au bout du fil, il y avait Van de Vijver, le directeur de Douwe Egberts. Fokkinga mit le haut-parleur et je pus suivre la conversation. Van de Vijver annonça que la VNKT avait un projet : « Planteurs et torréfacteurs. » La veille de l'introduction du café Max Havelaar, les industriels du café allaient présenter leur propre projet. Il s'agissait d'éliminer les intermédiaires et d'acheter le café directement aux petits producteurs. Il était évident que ce plan avait été conçu pour nous éliminer. D'après Van de Vijver, ce serait le coup de grâce pour Max Havelaar.

Sur un ton quelque peu paternaliste, il signifia à Fokkinga qu'il serait sage d'abandonner toute collaboration avec Solidaridad. Ce coup de téléphone était une manière subtile d'exercer son pouvoir.

Je réalisai alors le double jeu auquel se livrait Douwe Egberts. Van de Vijver avait fait semblant d'être un manager moderne à qui le débat social ne faisait pas peur. Il avait accepté de recevoir les petits producteurs de café d'UCIRI, il avait pris part aux tables rondes organisées à la demande de Solidaridad par le Comité interconfessionnel sur la lutte contre la faim dans le monde, sur la manière d'entreprendre de façon éthique dans la branche café. Il y avait quelques semaines seulement, Van de Vijver m'avait invité à l'assemblée annuelle de la VNKT. Il m'avait demandé de prendre la parole et de discuter de notre vision des abus dans la filière café.

Ce dialogue n'avait été qu'une farce. En fait, dans le bureau de la direction de Douwe Egberts, on avait mis au point une stratégie implacable pour maintenir Max Havelaar à l'extérieur du marché. Dans un premier temps, Albert Heijn avait été rappelé à l'ordre et invité à se ranger aux côtés de Douwe Egberts. Maintenant ce dernier essayait de dissuader le dernier maillon, la firme Neuteboom, et de développer un scénario personnel destiné aux relations publiques, en reprenant quelques éléments du commerce équitable dont il pourrait se vanter.

On avait exercé des pressions sur Jan Fokkinga. Après le coup de fil de Van de Vijver destiné à l'intimider, le doute l'emportait. J'ai alors dit à M. Fokkinga : « Jan, réfléchis bien avant de te prononcer. Tu es responsable de ton entreprise et de tes hommes. Tu ne peux te permettre de devenir la risée de ta branche. Je ne t'en voudrai pas si, sous de telles pressions, tu abandonnes. » Ensuite, je retournai à Utrecht avec une illusion de moins. Je savais qu'il fallait tourner la page.

Arrivé à Utrecht, je repris contact avec Frans. J'oubliais le décalage horaire et le sortis du lit. « Nous avons perdu contre la coalition des grandes sociétés, dis-je. La partie est jouée et tout est terminé. » Frans n'était pas sous le choc. N'était-il pas bien réveillé ? En fait, il avait bien d'autres soucis. « Chez toi en Hollande, les grands t'embêtent. Mais ont-ils crevé les pneus de ta voiture cette nuit, et t'ont-ils menacé de mort ? » Il me raconta ce qui s'était passé la nuit précédente dans les montagnes mexicaines. Les hommes de main des coyotes s'étaient attaqués aux camions d'UCIRI. Ils avaient crevé les pneus et démoli les moteurs. Les soucis de Frans donnaient aux miens une valeur très relative. Mais je n'avais plus grand espoir pour le café Max Havelaar.

LE COUP DE TÉLÉPHONE TANT ATTENDU

Après un sombre week-end, le lundi, je retournai à mon bureau. Tôt dans la matinée, Jan Fokkinga appela : « J'ai tout pesé et soupesé, nous sommes partants. Je continue. » J'étais stupéfait. Plus tard, il m'a raconté ce qui l'avait persuadé de poursuivre malgré ses doutes. Après le

fameux coup de téléphone de Van de Vijver, il avait apprécié de ne pas avoir à supporter mon insistance et de m'entendre tranquillement lui dire que je comprendrais qu'il
lâche l'affaire après tant de pressions. Apparemment,
j'avais été capable de me projeter dans sa situation. Cela
lui semblait un bon point de départ pour évaluer ensemble
les risques. J'avais gagné sa confiance.

De plus, le coup de fil de M. le directeur Van der
Vijver l'avait fait réfléchir. « Si Douwe Egberts a tellement peur de Max Havelaar, je peux bien prendre le risque », s'était dit Fokkinga. De plus, comme tous les
habitants de la région du Groningue, il était têtu. Confronté
à de telles pressions, il relevait le défi.

Nous pouvions lancer le café Max Havelaar.

Ce fut le début d'une période agitée. J'ai sacrifié mes
vacances et je me suis mis au travail. Nous devions nous
occuper de la promotion et rédiger les contrats de livraison. Mes collègues de la toute nouvelle association Max
Havelaar arpentaient le monde pour s'occuper des préparatifs avec les coopératives et faire en sorte que tout fût prêt
à temps. Neuteboom prit en charge les impératifs financiers. Nous avons commencé le compte à rebours jusqu'à
la date où le label Max Havelaar devait faire son entrée :
c'était le 15 novembre 1988.

Douwe Egberts suivait de près nos préparatifs. La
VNKT travaillait à son propre projet « Planteurs et torréfacteurs ». Douwe Egberts avec la régie et IJskens continuait à jouer un double rôle. Jan Fokkinga, de la société
Neuteboom, pourtant membre du bureau de la VNKT, était
soigneusement tenu à l'écart.

Quatre semaines avant la sortie de notre label, la
VNKT présenta, en effet, son projet : les torréfacteurs
néerlandais achèteraient dorénavant une partie de leurs

mélanges directement aux coopératives des petits producteurs. S'ils supprimaient les intermédiaires, une plus
grande partie du cours mondial reviendrait au paysan, ce
qui ferait augmenter ses revenus. Le directeur de Douwe
Egberts, dans sa présentation aux médias, ne fit bien sûr
pas référence au café Max Havelaar. Mais les médias ne
furent pas dupes et y virent une tentative de torpiller le
café Max Havelaar. Sans le vouloir, ils nous avaient fait
de la publicité.

De notre côté, les choses évoluaient : nous prenions
de l'assurance. Nous étions à la veille de grands changements dans la branche café. Solidaridad introduisait une
nouvelle méthode d'action. Les études de marché promet-
taient au café Max Havelaar 7 pour cent environ de parts
de marché, ce qui dépassait largement le seuil de tolérance
de 4 pour cent fixé par Douwe Egberts. S'ils avaient réagi
avant même l'introduction de notre café, c'était la preuve
qu'eux aussi étaient persuadés des possibilités de réussite
de Max Havelaar. J'espérais de tout mon cœur que les
études de marché avaient dit vrai et j'imaginais déjà Solidaridad dans le rôle d'interlocuteur à même de contraindre
Douwe Egberts, le géant du café, à faire des concessions
en faveur des petits producteurs.

QUAND LE POUVOIR DU CONSOMMATEUR FORCE LA MAIN AUX
GRANDS DISTRIBUTEURS

Il nous fallait trouver des supermarchés prêts à mettre
le café Max Havelaar dans leur assortiment. Les premiers
supermarchés qui s'y décidèrent furent les petites chaînes
de distribution. Quand la liste fut suffisamment longue, je
m'arrangeai pour que la direction d'Albert Heijn l'apprenne. Je pensais que, confronté à la diffusion de café

Max Havelaar par son concurrent, il allait réviser sa position. Mais l'homme était têtu. Albert Heijn pensa que ses magasins pouvaient se passer de café Max Havelaar le jour de son introduction sur le marché. Ce fut la énième erreur du grand leader.

L'introduction du premier paquet de café au label Max Havelaar, le 15 novembre 1988, fut un événement médiatique. Lorsqu'on s'aperçut qu'Albert Heijn était le seul des grands distributeurs à avoir refusé le café équitable, le directeur eut bien du mal à se justifier devant la presse.

Le jour suivant, la firme Neuteboom reçut le coup de téléphone longtemps attendu de M. IJskens, de chez Albert Heijn : « Nous voulons du café Max Havelaar. Combien pouvez-vous en livrer demain ? » Fokkinga m'appela et m'expliqua le dilemme : « J'ai de bonnes nouvelles, dit-il. Les consommateurs ont gagné. Albert Heijn veut être immédiatement fourni en café Max Havelaar. Mais je suis loin d'avoir les stocks nécessaires ! » Au moment de l'achat, Fokkinga n'avait pas compté sur ce nouveau client. Il faudrait deux mois à la firme Neuteboom pour pouvoir répondre à la demande.

Fokkinga fit la proposition suivante à Albert Heijn : il n'était pas en mesure de livrer la quantité de café demandée dans l'immédiat, il commencerait par un plus petit volume, mais garantissait le volume de livraison voulu dès janvier. Cette réponse ne fut pas du goût de M. IJskens. Furieux, il exigea la quantité demandée. C'était sans doute la première fois dans l'histoire d'Albert Heijn que sa puissance ne lui servait à rien. Dans ce milieu, peu de distributeurs échappent à l'arrogance que leur inspire leur position sur le marché. Ceux de chez Albert Heijn avaient poussé le jeu jusqu'au bout et mettaient Jan Fokkinga sous pression. Ce dernier sut, encore une fois, se montrer à la hauteur. Les supermarchés qui s'étaient décidés les premiers recevraient le volume de café convenu. Albert Heijn n'avait qu'à attendre son tour.

Cette chaîne s'était mise elle-même dans cette situation. Les rayons Max Havelaar restèrent parfois vides, dans les semaines qui suivirent l'introduction du produit. Le client ne trouvait pas ce qu'il cherchait et demandait des explications. Albert Heijn, adroitement, nous renvoyait la balle, prétendant que l'association Max Havelaar était responsable du mauvais suivi des livraisons. Un premier sabotage de notre image. Nous avons pris le parti de nous taire : ce n'était pas la peine de mettre du sel sur les plaies. Nous ne voulions pas mettre en péril notre relation avec le leader de la grande distribution. Il était essentiel de pouvoir continuer à travailler à long terme avec lui.

Mais Albert Heijn avait plus d'un tour dans son sac. Le directeur, furieux de l'attitude de la firme Neuteboom, comptait bien prendre sa revanche. Comment Fokkinga avait-il osé refuser de livrer les quantités demandées ? Pendant que la firme se préparait à une livraison de l'ensemble des magasins Albert Heijn en janvier, et achetait dans ce but de grandes quantités de café, la chaîne de magasins entama des pourparlers secrets avec un autre négociant. Sans avertir Neuteboom, M. IJskens fit des commandes de café Max Havelaar à la société Tiktak de Groningue : dès que celle-ci serait prête, elle fournirait Albert Heijn. Le café labellisé Solidaridad de Neuteboom serait remplacé par le café Plata de Tiktak.

Cette transaction secrète fut une catastrophe pour la firme Neuteboom. Fokkinga se retrouva à la tête d'énormes stocks de café. Une congrégation religieuse apporta son aide et proposa un crédit qui permit à Neuteboom de surmonter ses difficultés. Si M. IJskens de chez Albert Heijn avait su cela, il aurait sûrement fulminé :

« Est-ce que c'est à ça que sert l'argent de la quête, à présent ? »

QUAND LE POUVOIR DU CONSOMMATEUR NE PERMET PAS D'AT-
TEINDRE LES 4 POUR CENT

Le grand jour avait été fixé au 15 novembre 1988. Le premier paquet de café Max Havelaar de la société Neuteboom fut offert au prince Claus. Ce fut un jour de fête auquel les médias firent une place de choix. Nous en attendions beaucoup. Quelle allait être la place de Max Havelaar sur le marché ? Allions-nous atteindre les 7 pour cent ou même 15 pour cent prédits par les études de marché ?

Au milieu de toute cette animation, je pris le temps de me poster dans un supermarché, à côté du rayon café. Le nouveau paquet de Max Havelaar était bien là au milieu des nombreuses marques concurrentes. Impatient de savoir ce qui allait se passer, je restai un moment à observer le comportement des clients. Quel paquet choisissaient-ils ? Au bout de quelques heures, je connaissais la réponse : notre pourcentage resterait modeste. Je vis de mes propres yeux, non pas sept, mais deux consommateurs sur cent mettre un paquet de café Max Havelaar dans leur caddie. Je commençai à douter. Nous voulions amener Douwe Egberts à une autre politique d'achats, mais nous ne pouvions y parvenir sans l'aide des consommateurs. Je pensai à la part de marché de 4 pour cent maximum que Van der Vijver nous accordait et nous allions rester largement au-dessous. Nous ne deviendrions pas un concurrent sérieux. Notre position ne nous permettrait pas de forcer les grands distributeurs à faire des concessions.

Au bout de quelques semaines, les premiers chiffres vinrent confirmer mes impressions : pour le café Max

Havelaar, la part de marché s'élevait à plus de 2 pour cent. Les pronostics encourageants des enquêtes se référaient à des réponses socialement correctes, rien de plus. À l'enquêteur, 7 à 15 pour cent des Néerlandais répondaient qu'ils seraient prêts à payer plus pour un produit équitable et écologique. Mais une fois dans leur magasin, les habitudes reprenaient le dessus et, automatiquement, le client saisissait soit le produit auquel il était habitué, soit le paquet de café le moins cher.

Dans le choix du café, la fidélité à une marque joue un grand rôle. Le client adopte une saveur, ce dont Douwe Egberts a toujours su jouer avec habileté : son café renvoie à l'image d'un cadre de vie douillet et harmonieux. Il est bien difficile de se battre contre une pareille image, et nous nous en sommes aperçus. Nous avions sous-estimé la fidélité du consommateur moyen. Max Havelaar pourrait améliorer sa position sur le marché par d'énormes efforts et un marketing professionnel. Aujourd'hui, 4 pour cent des Néerlandais choisissent le café Max Havelaar. Ces consommateurs constituent un volume d'achat d'à peine 3 pour cent. Notre part de marché reste stable depuis un certain temps. Il ne sera pas facile de la faire progresser.

D'après ceux qui connaissent la branche café, Max Havelaar a cependant fourni une performance remarquable. Au cours des dernières décennies, personne n'a réussi à conquérir une place sur le marché néerlandais, dans ce domaine. Dans le passé, des torréfacteurs allemands ont essayé et ils ont dépensé des millions pour le lancement de leur produit. En vain. Il est presque impossible de lutter contre l'image de marque de Douwe Egberts. Max Havelaar a donc réussi, dans la mesure où il s'est imposé dans les rayons. Du point de vue marketing, l'introduction du café Max Havelaar est un succès.

Sur le plan politique, l'initiative du café Max Havelaar n'a pas apporté ce que Solidaridad en espérait. Douwe Egberts a vite compris que le café Max Havelaar n'atteindrait pas les 7 pour cent prévus. Avec sa part actuelle de 2,7 pour cent, Max Havelaar ne menace pas le géant du café qui, entre-temps, a mis son projet « Planteurs et torréfacteurs » aux oubliettes. Max Havelaar est resté au-dessous du seuil de tolérance. La percée n'a pas eu lieu. La fidélité du consommateur au café Douwe Egberts s'est montrée suffisamment forte pour que le groupe ne voie pas de raison de changer de politique.

ALBERT HEIJN : ENFIN UNE ATTITUDE CONSTRUCTIVE !

Au début, nos relations avec Albert Heijn ont été carrément mauvaises. À plusieurs reprises, ses représentants n'ont pas tenu leurs engagements. Il était clair qu'ils n'avaient pas encore déterminé leur position. Comment répondre à la demande du consommateur responsable ? Comment devenir une entreprise soucieuse des rapports humains ? L'équipe était divisée. Quelques pionniers voulaient relever les nouveaux défis de notre époque, mais ils n'étaient pas assez forts. Il faudrait encore cinq ans — jusqu'au milieu des années 90 — pour qu'Albert Heijn détermine clairement sa position et adapte sa structure interne.

Aujourd'hui, les produits équitables ont trouvé leur place dans la nouvelle politique d'Albert Heijn. Leur société de torréfaction, Marvelo, a développé la marque « Honesta » portant le label Max Havelaar. Il existe aussi une politique pour les produits biologiques, en grande partie sous une marque propre : Albert Heijn *biologique*. On applique le programme « Aarde en Waarde » (Terre et valeurs). La société a nommé un manager chargé de développer une politique répondant aux codes de bonne conduite sur le plan social et environnemental. Il a fait preuve de sa capacité d'adaptation. Les résistances auxquelles le premier produit Max Havelaar s'est heurté ont définitivement disparu à présent.

NOTRE MARCHÉ, C'EST L'EUROPE :
ÉLARGIR LA PALETTE DES PRODUITS DU COMMERCE ÉQUITABLE POUR LE CONSOMMATEUR EUROPÉEN

Lorsqu'en 1988, l'introduction du café Max Havelaar aux Pays-Bas s'est révélée être un succès, il était logique de l'étendre à l'ensemble de l'Europe. Il fallait élargir la base des producteurs et des consommateurs. Nous voulions faire participer davantage de producteurs des trois continents du tiers-monde, car une plus grande diversité dans l'origine du café brut nous permettrait d'améliorer la qualité des mélanges. Nous voulions aussi qu'un maximum de coopératives obtiennent un meilleur prix pour leur café.

Parallèlement, il était urgent de veiller à ce que l'initiative néerlandaise fasse tache d'huile dans toute l'Europe. La plupart des pays avaient suivi notre démarche avec intérêt. L'association Max Havelaar était assaillie de demandes d'informations sur ce nouveau modèle de label de qualité. De nombreuses délégations étrangères se déplaçaient pour se rendre compte sur place des résultats. Petit à petit se dessinait la possibilité de mettre en place un réseau de label européen.

Entre-temps, l'association Max Havelaar était devenue une organisation autonome avec un Conseil d'administration et une équipe de travail. Le Conseil d'administration reposait sur une large base représentant diverses organisations et l'équipe regroupait des cadres compétents. Les instigateurs, après trois années de travail acharné, pouvaient enfin s'occuper d'autres branches de leurs organisations : UCIRI et Solidaridad. Petit à petit, le règlement du label de qualité fut mieux défini et on établit un registre des producteurs de café répondant à ses critères. Le premier directeur de l'association, Bert Beekman, avec beaucoup de dévouement et de professionnalisme, développa un large réseau de producteurs qui allait compter 223 participants. Les premières expériences sur le terrain nous permirent de formuler avec précision les conditions de commercialisation des produits Max Havelaar.

Pour qu'une coopérative de paysans puisse s'inscrire au registre des producteurs Max Havelaar, elle doit répondre à un certain nombre de critères bien définis, tout d'abord, à des critères sociaux. Ensuite, on s'assure que la qualité et la variété correspondent aux normes du marché européen. Si les critères d'admission au registre des producteurs Max Havelaar sont décrits avec précision, ils ne sont pas, pour autant, appliqués à l'aveuglette. Ils servent plutôt de point de départ pour un dialogue avec les partenaires.

Ce sont des critères globaux que nous veillons à appliquer avec discernement. Nous tenons compte de la situation spécifique des paysans en fonction du pays et même, parfois, de la région. Il peut exister de grandes différences selon les cas. De plus, les priorités peuvent évoluer : certains critères prennent le pas sur d'autres. Par exemple, ces dix dernières années, l'aspect environnemental est devenu primordial. Le label Max Havelaar, surtout politique et social à l'origine, devient de plus en plus écologique.

UNE ORGANISATION DE PAYSANS

Dès le début, nous avons voulu travailler, en priorité, avec les coopératives de producteurs. Cela signifiait, dans la pratique, des surfaces de production de cinq hectares maximum. Dans la plupart des cas, elles appartiennent à des entreprises familiales propriétaires de leur terre ou ayant un bail. Chez les Indiens, la terre est souvent en commun et elle est exploitée par plusieurs familles. Tous les membres de la famille y travaillent : hommes, femmes et enfants dès qu'ils en ont l'âge. Le rôle de la femme est souvent sous-estimé, alors que dans la plupart des cas, elle assure une grande part du labeur. À côté de la culture du café, la culture d'autres produits est indispensable pour permettre aux familles de subvenir à leurs besoins. C'est pourquoi l'association Max Havelaar insiste sur la nécessité de maintenir l'équilibre entre la récolte à but commercial et celle qui pourvoit aux besoins alimentaires de la population locale.

L'idée de solidarité et d'entraide est décisive. Max Havelaar ne travaille qu'avec des paysans organisés en coopérative ou autre forme de communauté. En groupe, les paysans peuvent plus facilement faire face aux problèmes économiques et sociaux. Une coopérative est beaucoup plus apte à affronter les éventuels conflits avec les intermédiaires, les problèmes de dettes et de transport, qu'un paysan isolé. Le groupe de producteurs est soumis à une condition, celle du fonctionnement démocratique, garant d'un partage équitable du pouvoir décisionnel.

Les principes de participation et de démocratie sont primordiaux pour Max Havelaar et nous tenons à les encourager. Les paysans doivent décider ensemble de la façon de réinvestir la prime. Les organisations ne doivent pas se refermer sur elles-mêmes, mais être ouvertes aux nouveaux membres. Nous travaillons en priorité avec des groupes de producteurs autonomes qui déterminent eux-mêmes leurs relations économiques et politiques. En Amérique du Sud, en particulier, le clientélisme menace sans cesse l'autonomie des producteurs. C'est pourquoi ils doivent apprendre à se défendre, leur émancipation économique et sociale est un des points clés du programme de coopération.

Les organisations de producteurs trouvent toutes sortes d'alternatives aux structures existantes qui nuisent à leurs intérêts, dans le domaine des intermédiaires, des crédits, de la transformation, des transports, des programmes de formation agricole et de l'exportation. Il ne s'agit pas uniquement d'augmenter ses revenus. L'amélioration de la situation économique doit profiter au développement de toute la communauté. Les priorités vont à l'enseignement, la santé, l'émancipation des femmes et la protection de l'identité culturelle.

Dès qu'une coopérative s'inscrit au registre de l'organisme de labellisation, son café peut être commercialisé aux conditions spéciales des produits Max Havelaar. Le torréfacteur qui veut utiliser ce label doit acheter son café directement au producteur. Éviter les intermédiaires permet de renforcer l'économie locale et la position des paysans.

UN PRIX MINIMUM GARANTI

Un deuxième principe de base pour l'association Max Havelaar est la prime payée dans le cadre de l'économie de label. En plus du prix du marché mondial, le producteur reçoit un supplément de 10 pour cent. Ce supplément offre une marge financière permettant d'investir dans l'infrastructure de la coopérative et dans les mesures sociales et écologiques au niveau de la production, quels que soient les prix du marché.

Prime accordée aux producteurs
grâce aux ventes aux Pays-Bas

Année	millions d'euros
1988-1989	1,09
1990	2,41
1991	2,77
1992	3,72
1993	3,58
1994	1,04
1995	0,41
1996	1,23
1997	1,50
1998	1,68
1999	2,77
2000	4,15
total	26,35

Afin de protéger les paysans des caprices du marché, l'association Max Havelaar a fixé un prix minimum du café. Ce prix minimum est de 1,26 dollar la livre (456 grammes) pour l'arabica, et de 1,12 dollar pour le robusta. Même si le prix du marché s'effondre — en 2001 le prix du café a atteint son prix le plus bas avec 40 cents la livre — Max Havelaar garantit au paysan un prix minimum. Ce prix est basé sur le coût de la production, au sein d'un processus efficace, auquel s'ajoutent les coûts sociaux et environnementaux. Ce prix permet de fixer « le prix intégral » et correspond au prix réel de la production.

Fixer le prix du café est une bonne chose, mais où est l'intérêt du producteur s'il n'est pas sûr de pouvoir vendre son café à ce prix à long terme ? C'est pour cette raison que l'association Max Havelaar demande aux torréfacteurs qui travaillent sous le label, de s'engager dans des relations commerciales durables et d'établir des contrats sur plusieurs années. Les accords doivent être valables pour un an au moins et plus si possible. Seules ces pratiques innovantes permettent d'assurer au producteur un minimum de sécurité pour l'avenir. Elles sont nécessaires, non seulement sur le plan social, mais aussi sur le plan économique, car le producteur a besoin d'une certaine sécurité pour pouvoir, à long terme, faire les investissements indispensables et plus particulièrement ceux que nécessite le passage de la culture traditionnelle à la culture biologique. Seul le paysan, qui est sûr de vendre son café, dans un avenir proche, et jamais au-dessous de son prix de revient, peut se permettre de faire le pas vers la culture biologique.

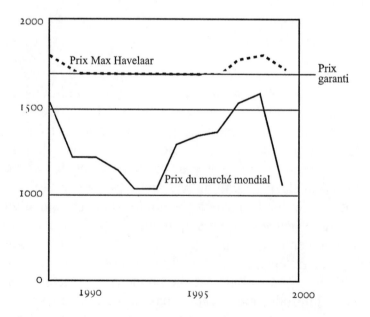

Prix du cacao en dollars américains pour 1 000 kg

Enfin, pour Max Havelaar le préfinancement est un point important. Normalement, les producteurs sont payés juste après la récolte. Les intermédiaires locaux, appelés « coyotes », passent chez les paysans pendant la récolte et achètent le café au prix local qui, le plus souvent, ne dépasse pas 35 pour cent du prix du marché mondial. Les rapports de prix reflètent les rapports de pouvoir. Le petit paysan a souvent des dettes chez l'intermédiaire ou bien il dépend de lui pour le transport. Dans ce cas, il n'a pas le choix. Il vend au prix qui lui est proposé. Les intermédiaires, eux, constituent des stocks qu'ils distribueront au cours de l'année, lorsque les prix monteront. Les bénéfices ainsi obtenus ne profitent jamais aux producteurs.

Pour faire concurrence aux intermédiaires, la coopérative devrait, comme eux, payer les producteurs à la livraison. Mais comment la coopérative pourrait-elle payer comptant si le café n'a pas encore été livré et donc, si les torréfacteurs ne l'ont pas encore payé ? Pour faire un emprunt, on se heurte sur le plan local à un système bancaire mal développé et difficilement accessible aux paysans. Le réseau local de prêts fixe des taux d'emprunt très élevés. C'est pourquoi Max Havelaar a mis au point un système de préfinancement. Les torréfacteurs qui souhaitent être labellisés doivent payer d'avance une partie de la somme de leur contrat annuel avec la coopérative, 60 pour cent en général. Le préfinancement a lieu au moment de la récolte. Par exemple, un torréfacteur au label Max Havelaar passe un contrat annuel avec la coopérative qui s'engage à lui livrer 4 000 balles de café, réparties sur quatre livraisons de 1 000 balles par trimestre. Le torréfacteur paie 60 pour cent du prix minimum à la signature du contrat et la somme restante au moment de la livraison. Pour beaucoup de paysans, ce mode de financement est tout aussi important que le supplément qu'ils reçoivent de Max Havelaar pour leur café.

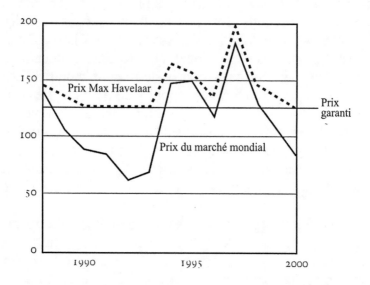

Prix d'une livre de café Arabica en dollars américains

Vendre par le biais de la coopérative présente d'autres avantages pour le producteur. La coopérative peut stocker le café plus longtemps que le petit paysan. Ce dernier profitera donc de l'augmentation des prix qui a lieu, généralement, après la récolte. Jusqu'alors seuls les intermédiaires tirent parti de ces bénéfices. À présent, la coopérative en fait profiter les producteurs.

Les changements qu'entraîne ce nouveau mode de commerce ne sont pas seulement d'ordre lucratif. En travaillant avec Max Havelaar, les petits producteurs de café échappent enfin au cercle vicieux de la dépendance. Isaías Martinez, porte-parole des paysans d'UCIRI, le formule ainsi : « Depuis la venue de Max Havelaar, nous, les petits paysans indiens, nous sommes toujours pauvres, malgré quelques améliorations. Ce que l'association nous a apporté de plus précieux, c'est notre "dignité" retrouvée.

Nous ne sommes plus en proie à des forces économiques anonymes et humiliantes. »

LE SUCCÈS SUISSE

Entre-temps, le succès de la formule Max Havelaar avait suscité un certain intérêt dans d'autres pays d'Europe. Elle permettait aux distributeurs d'introduire un produit stable dans leurs rayons. En bons ambassadeurs, Frans van der Hoff et Nico Roozen parcouraient toute l'Europe pour expliquer la formule.

La Suisse fut le premier pays à s'intéresser sérieusement au label Max Havelaar. Rolf Buser, descendant d'une branche illustre de l'hôtellerie suisse, en fut l'instigateur. Il avait travaillé plusieurs années en Amérique latine. Il se rendit aux Pays-Bas afin de s'initier à la formule Max Havelaar. Il voulait tout savoir sur la façon dont nous nous étions introduits sur le marché. Dès son retour en Suisse, Buser a monté un organisme de labellisation sous le nom de Max Havelaar. Avec beaucoup de dévouement et de professionnalisme, il a rempli ses fonctions de premier directeur de l'organisme de label suisse.

L'introduction du label pour le café a été en Suisse un succès. Il est dû à la collaboration que Buser a établie avec deux chaînes importantes de grands magasins : Migros et Coop. Cette dernière surtout est devenue un véritable promoteur des produits Max Havelaar. Migros, le concurrent, a été obligé de suivre. Ainsi, la distribution des produits Max Havelaar couvre presque tout le marché suisse.

Cet exemple montre à quel point la collaboration des supermarchés est importante. Le succès des produits équitables et biologiques ne dépend qu'en partie du professionnalisme des organismes de labellisation. Max Havelaar peut veiller à préparer le terrain : faire la promotion du label, répondre à la demande du consommateur. Mais la place du produit dans le système de distribution dépend de la politique des supermarchés. En Suisse, grâce à leur implication, le chiffre d'affaires du café Max Havelaar a vite été le double de celui des Pays-Bas.

Aujourd'hui encore, la Suisse est en tête avec 8 pour cent de part de marché pour le café. D'ailleurs les autres produits du commerce équitable marchent eux aussi mieux que partout ailleurs. Les bananes équitables occupent 15 pour cent du marché et vont sans doute atteindre les 20 pour cent. L'exemple suisse illustre la différence au niveau des ventes entre un supermarché qui se contente de tolérer les produits du commerce équitable dans ses rayons et celui qui applique une politique active de promotion.

Au début des années 90, la Suisse était, aux côtés des Pays-Bas, le deuxième pays où le commerce équitable remportait un franc succès. En quelques années, onze pays ont suivi. Le moment était venu d'introduire les produits équitables dans plusieurs pays à la fois. Un réseau européen s'est alors formé, permettant aux différents organismes de label de se consulter.

UN ASSORTIMENT PLUS LARGE DE PRODUITS

Après le café, l'association Max Havelaar s'est intéressée à la production du cacao et à la fabrication du chocolat. L'initiative est venue de la section industrie alimentaire du syndicat FNV, le syndicat le plus important des Pays-Bas. Il était fortement implanté dans l'industrie du cacao et entretenait des liens avec les petits producteurs du tiers-monde à différents niveaux. Un certain nombre de syndicalistes étaient donc au courant de la position des paysans et de la façon dont étaient organisés le commerce et l'industrie de transformation du cacao.

La culture du cacao a toujours été une activité attrayante pour les paysans. Elle demande, il est vrai, un certain investissement, car il faut attendre vingt ans avant que l'arbre donne ses fruits, mais après cela il produit tout au long de l'année. Un paysan en possession d'arbres à cacao peut donc escompter des entrées d'argent étalées sur toute l'année. Traditionnellement, c'était une bonne source de revenus, car la matière première coûtait cher. La saturation du marché mondial a, malheureusement, changé la donne. Les prix se sont effondrés en quelques années et sont tombés à 800 dollars les 1 000 kg de cacao.

Max Havelaar a fixé le prix minimum à 1 750 dollars la tonne. Ce qui signifie que la valeur du cacao sur le marché mondial ne représente plus que la moitié du coût d'une production durable. Le succès de l'introduction sur le marché des produits chocolatiers labellisés était donc vital pour les producteurs de cacao. Malheureusement, ce succès se fait attendre. L'association Max Havelaar n'est pas parvenue à trouver de fabricant capable de fournir un produit haut de gamme et ayant les moyens de l'introduire sur le marché. Pour le chocolat, produit de luxe par définition, le degré de qualité est déterminant.

C'est ensuite vers le thé que s'est tournée l'association. Au niveau du marketing, le thé et le café sont liés. On a affaire aux mêmes fabricants et aux mêmes chaînes de distribution. Mais la production posait un problème particulier. Le thé est rarement cultivé sur de petites exploitations, mais plutôt sur de grandes plantations. Il fallait donc développer une autre stratégie. Nous avions l'habitude de travailler avec des coopératives de paysans. Pour le thé, notre groupe cible devenait celui des ouvriers agricoles.

En 1994, l'organisme de labellisation allemand a pris l'initiative d'introduire le thé équitable sur le marché. Les Allemands ont développé un plan d'action détaillé. Dans ce cas de figure, les syndicats et autres formes d'organisation des ouvriers sont les acteurs principaux. Ce sont eux qui doivent veiller à ce que la prime Max Havelaar profite effectivement aux ouvriers et à l'amélioration de leurs conditions de travail.

Après le thé, le miel est devenu le quatrième article labellisé Max Havelaar. Contrairement au thé, le miel est un produit qui s'intègre très bien dans notre formule. La plupart des apiculteurs sont de petits producteurs indépendants. De plus, le miel est devenu un produit d'appoint pour beaucoup de producteurs de café. L'apiculture est encouragée dans le cadre de la culture biologique. Sur les grandes plantations, la présence des abeilles en grand nombre est bénéfique. Elles transportent le pollen qui féconde les fleurs de café. Les coopératives profitent ainsi des avantages du commerce équitable pour les deux produits : le café et le miel.

Ces différentes entrées sur le marché ont permis de créer tout un assortiment de produits équitables : café, chocolat, thé et miel. Le premier reste de loin le plus important. Pour les autres produits, les ventes varient beaucoup selon les pays. Le thé, par exemple, se vend très bien au Royaume-Uni, gros consommateur de thé en général. Le chocolat se vend bien en Suisse. Le miel occupe, dans l'ensemble, une place marginale.

Il faudra attendre 1996 pour qu'un autre produit s'ajoute à cette palette : la banane.

LA VOIE SOLITAIRE DE L'ALLEMAGNE

Au fur et à mesure que la palette de produits s'élargit et que s'accroît le nombre des pays participant au commerce équitable, le besoin de s'organiser au niveau européen se fait sentir. Il n'existe, jusque-là, que des contacts occasionnels entre les organismes de labellisation des différents pays. Mais la voie vers une plate-forme européenne efficace est longue et semée d'embûches. Elle s'accompagne de tensions et de conflits dont la responsabilité incombe, en grande partie, à l'attitude de l'organisme allemand : *TransFair Duitsland*.

Dans ce pays, les organismes de labellisation ont suivi un trajet particulier. Dès le début des années 90, l'Allemagne, et Gepa en particulier, s'est intéressée à la formule Max Havelaar. Gepa est l'organisme allemand du commerce alternatif, appelé également ATO, *Alternative Trade Organisation* (organisme de commerce alternatif). Dès le début, l'initiative néerlandaise Max Havelaar a été vue d'un mauvais œil au sein de Gepa. En fait, les Allemands auraient bien aimé avoir eu eux-mêmes l'idée de cette formule à succès. En introduisant un label en Allemagne, Gepa pouvait espérer jouer un rôle clé qui lui aurait permis de profiter de la croissance du marché.

La stratégie de la direction de Gepa a provoqué une crise, entraînant le départ du directeur, Jan Hissel. Avec lui disparaissait de la scène l'un des principaux défenseurs d'un label indépendant. Dans une ambiance tendue, deux courants sont nés au sein de Gepa. D'un côté Gepa a été renforcée. L'organisation devait se préparer à conquérir une grande part du marché du café labellisé. Les organisations cléricales pour l'aide au développement, en particulier, ont beaucoup investi dans un plan d'expansion pour Gepa.

En même temps, on élaborait des plans de grande envergure. Gepa voulait, non seulement développer une variante allemande du type Max Havelaar, mais également lancer sans attendre un label européen et une organisation européenne. Sans consulter les Pays-Bas ou la Suisse, où le label existait déjà et fonctionnait fort bien, les Allemands concoctaient un projet européen.

Ce n'est pas tout à fait par hasard qu'aux Pays-Bas, c'est justement en dehors du circuit du commerce alternatif que l'initiative d'un organisme de labellisation a été prise. Un organisme de label ne fonctionne pas de la même manière qu'une organisation de commerce alternatif. Un organisme de commerce alternatif (ATO) s'appuie sur des objectifs idéologiques, mais n'en est pas moins pour autant une entreprise. En tant que telle, elle se doit d'accroître son chiffre d'affaires. Les ATO étaient jusqu'alors les seuls acteurs sur le marché alternatif. Ils étaient habitués à avoir le monopole du « commerce éthique » avec le tiers-monde. Le label Max Havelaar introduisit la concurrence en faisant entrer d'autres acteurs commerciaux dans le circuit. Et si, contrairement aux ATO, l'organisme de labellisation ne participe pas au marché, il en ouvre l'accès aux produits du commerce équitable. Le monopole du commerce alternatif allemand était donc menacé.

Ce conflit d'intérêts montre pourquoi un organisme de commerce alternatif ne peut pas prendre d'initiative dans ce domaine. En tant qu'entreprise, le commerce alternatif a ses propres intérêts dans les parts de marché. Il risque de freiner le potentiel d'un label en l'utilisant pour améliorer son chiffre d'affaires, plutôt que d'ouvrir le marché et d'essayer d'y intéresser le plus d'acteurs possibles.

Aux Pays-Bas, ce problème a pu être maîtrisé. Les organismes de commerce alternatif, les anciens « *SOS*

Wereldhandel » qui se sont appelés plus tard « *Fair-trade organisatie* », se sont montrés hésitants dans un premier temps, mais ils ont finalement accepté l'idée du label Max Havelaar. L'ouverture d'esprit du directeur, Stefan Fur-wael, et l'attitude positive de l'ancien président et actuel ministre au Développement et à la Coopération, Evelyne Herfkens, ont été décisifs. Solidaridad a également joué un rôle important en instaurant un dialogue avec les organisa-tions susceptibles d'être des pionniers dans la formule du label. Une structure a été mise en place, dans laquelle les Magasins du monde et les Organismes de commerce alter-natif pouvaient participer à notre initiative et profiter ainsi de la croissance du marché.

Il en fut autrement en Allemagne. En 1993, à l'insti-gation de Gepa, l'organisme de labellisation TransFair a été créé. Il a tenté de lancer le café labellisé. Malheureuse-ment, il y avait un déséquilibre entre « l'ancienne » et « la nouvelle » organisation. Gepa, en tant qu'instigateur de la formule du label, a dominé le marché les premières années. Cette domination empêchait TransFair de s'affirmer et d'intéresser des acteurs commerciaux. Les intérêts de Gepa pesaient trop lourd. L'équipe de TransFair a fini par le comprendre, mais le mal était fait. Résultat : le café équi-table ne se vend pas bien en Allemagne.

À l'heure actuelle, la moitié du café de TransFair est fournie par Gepa. Par conséquent, les relations avec les circuits commerciaux traditionnels n'ont pas été dévelop-pées et le marché du café équitable n'a pas pu se dévelop-per. Le café labellisé représente en Allemagne à peine un demi pour cent de part de marché. Il en est de même pour d'autres produits équitables. On peut même dire que le chocolat et ses dérivés, introduits en 1996 et la banane deux ans plus tard, représentent un véritable flop. En ce qui concerne les ventes de thé, de miel et de jus d'orange, les résultats sont médiocres.

L'Allemagne, le marché le plus important d'Europe, en est encore à ses premiers pas dans le domaine du commerce équitable. Cet échec a différentes causes. Bien sûr, le lancement raté du café équitable n'a rien arrangé, mais TransFair a, depuis, su s'adapter et surmonter les difficultés initiales. Pourtant la part de marché des produits équitables reste bien en deçà de leur potentiel.

Cette situation n'est pourtant pas due au manque de conscience politique du consommateur. Le courant contestataire est très fort au sein du monde culturel, politique et clérical. Le pouvoir d'achat n'est pas en cause, et on ne peut pas se plaindre non plus d'un manque d'information de la part des médias.

L'une des raisons de l'échec du commerce équitable est l'état d'esprit qui règne chez les grands distributeurs allemands. Ce pays est un marché des prix bas. La concurrence entre les supermarchés y est exacerbée, d'où une situation qui peut paraître paradoxale : c'est dans le pays où le pouvoir d'achat est le plus élevé d'Europe que les supermarchés offrent le moins de qualité. Ils proposent un assortiment relativement réduit et la concurrence freine l'innovation et le développement des services. Ainsi, le consommateur allemand achète surtout en fonction du prix, sa préférence va vers la formule Aldi, magasins bon marché. Dans une telle structure, il y a peu de place pour le consommateur exigeant.

Par là, l'Allemagne occupe une place particulière en Europe. En Angleterre, où le pouvoir d'achat est plus bas, la qualité des produits dans les supermarchés est nettement meilleure. Les organismes de labellisation allemands se trouvent confrontés à une situation difficile. La conquête du marché équitable exige une approche très professionnelle que l'Allemagne, jusqu'à présent, n'a pas été en mesure d'exercer.

UNE COOPÉRATION EUROPÉENNE DIFFICILE

Bien que TransFair ait échoué chez eux, les Allemands ont tout de même tenté de réaliser leur rêve : un organisme de labellisation mondial. Des initiatives de labellisation non viables sont alors apparues dans différents pays. TransFair a planté des jalons en Italie, au Canada, aux États-Unis, au Japon et en Autriche, mais ces initiatives ne visaient qu'à élargir sa sphère d'influence. Selon le modèle allemand de collaboration internationale, le pouvoir décisionnel devait être partagé sur la base d'un nombre égal de voix par initiative nationale. Les résultats de ces initiatives n'étaient pas pris en compte et les organismes de labellisation qui fonctionnaient déjà dans certains pays, comme la Suisse et les Pays-Bas, auraient été les dupes.

TransFair était organisée selon un modèle de pouvoir centralisé et autoritaire. Son souci principal était de contrôler plutôt que de stimuler, d'exercer son pouvoir plutôt que de convaincre, enrayant ainsi toute dynamique. Ce système de fonctionnement, parfaitement inadapté à la réalité du mouvement du commerce équitable, a conduit la collaboration internationale à une impasse. Il a fallu attendre plusieurs années pour qu'une nouvelle génération prenne les rênes en main et établisse enfin de véritables relations de coopération.

On venait de perdre de précieuses années. Le mouvement en sortait affaibli et morcelé. En parallèle aux organismes fonctionnant selon le modèle allemand, de nouvelles initiatives Max Havelaar se développaient en Belgique, au Danemark, en France et en Norvège. Le monde anglophone avait choisi une autre appellation : au Royaume-Uni et en Irlande, on utilisait le label « *Fair Trade* ». En Suède et en Finlande, on préféra des appellations nationales, comme « *Föreningen för Rättvısermärkning* » et « *Reilun Kaupan Edistämisyhdistys* ».

Ces nombreux logos, neuf au total, sont le résultat du morcellement. Le mouvement pour un commerce équitable montre ainsi son incapacité à s'organiser. Il est d'autant plus regrettable que l'Allemagne se soit livrée à ce jeu de pouvoir alors qu'il existait initialement un consensus sur la nécessité d'une collaboration étroite sur le plan européen.

Il a fallu attendre 1996 pour que le mouvement surmonte en partie ses conflits internes. En fondant la FLO, *Fair Trade Llabelling Organisation* (Organisation internationale de labellisation du commerce équitable), on instaura un lien entre les différents organismes de label. Petit à petit la collaboration européenne prit forme. La confiance mutuelle se développa et on élabora des critères communs pour les produits labellisés. Il existe à présent un registre de producteurs certifiés. La certification et le monitorage des producteurs se font suivant des critères dictés par des accords de coopération européens.

**Pays participant à FLO international
et année du lancement du produit**

Organismes de label	café	cacao	bananes	thé	miel	oranges
Max Havelaar – Pays-Bas	1988	1993	1996	1998	1995	2000
Max Havelaar – Belgique	1991	-	1997	-	-	-
Max Havelaar – Suisse	1992	1994	1997	1995	1993	1999
TransFair – Allemagne	1993	1996	1998	1994	1996	1999
TransFrai – Minka – Luxembourg	1993	1996	1999	1996	-	-
Max Havelaar – France	1993	-	-	-	-	-
Frairtrade Foundation – Royaume-Uni	1994	1994	-	1994	-	-
TransFair – Autriche	1994	1996	1994	-	-	-

Organismes de label	café	cacao	bananes	thé	miel	oranges
TransFair – Italie	1995	1996	1995	1998	-	-
Irish Frair trade Network – Irlande	1998	-	-	-	-	-
Max Havelaar – Danemark	1995	1999	1997	1996	-	-
Föreningen för Rättvisermärkning – Suède	1997	1998	1998	1997	-	-
Reilun Kaupan Edistämisyhdistys – Finlande	1999	-	-	1999	-	-

En 2001, une nouvelle structure a été instaurée qui officialise et intensifie la collaboration croissante entre les organismes nationaux de labellisation. Cela devrait aboutir à la création d'un logo européen pour le commerce équitable.

Ce sera une étape importante. Si Solidaridad avait envisagé les choses dans un cadre européen dès le début, elle n'aurait pas choisi le nom Max Havelaar. Il convenait parfaitement dans le contexte néerlandais. Malheureusement, ce nom n'évoque rien au-delà des Pays-Bas.

Les instigateurs du mouvement n'ont pas réalisé que l'expansion du label, dans le cadre européen, serait rapidement à l'ordre du jour. C'est dommage. À présent, les différents logos et les différentes appellations sont un fait. Dans une Europe unifiée, les pays devront se mettre d'accord sur une appellation unique. Les changements d'appellation entraîneront une perte de capitaux. Aux Pays-Bas, le bénéfice de la confiance acquise par le label Max Havelaar sera perdu. Tout cela est regrettable. Cependant, plus on attendra et plus ces changements seront coûteux et difficiles. Hélas, jusqu'à aujourd'hui, les organismes des différents pays ne sont pas parvenus à se mettre d'accord sur le choix d'une appellation et d'un logo communs. Apparemment, les intérêts nationaux freinent les solutions créatives du problème et il faudra une intervention extérieure pour le résoudre. La Commission européenne pourrait avoir son mot à dire. Elle octroie des subventions à différentes initiatives nationales. Elle pourrait imposer au FLO de développer un logo européen. C'est peut-être la seule solution pour une approche unifiée du consommateur européen.

LA FRANCE À LA VEILLE D'UN TOURNANT DÉCISIF

L'association Max Havelaar France a été créée, fin 1992, à l'initiative de trois ONG de développement : Centre international de coopération pour le développement agricole, Ingénieurs sans frontières et Peuples solidaires. La rencontre de ces trois structures s'est nouée autour d'une interrogation commune : alors que l'Accord international sur le café avait fait long feu, comment apporter une solution concrète aux petits producteurs ? Après étude, l'initiative hollandaise de labellisation du commerce équitable leur était apparue la plus appropriée ; l'association Max Havelaar France était née.

Pendant longtemps, l'association ne dispose que de très faibles moyens financiers et les bénévoles entreprennent un travail de terrain minutieux pour populariser la démarche. En 1993, un petit torréfacteur, installé en Bretagne, accepte de travailler aux conditions du commerce équitable ; le premier café équitable français est né. Encore faut-il qu'il soit accessible aux consommateurs. Magasins après magasins, les bénévoles réussissent à convaincre les chefs de rayons d'ouvrir leur rayon à ces cafés pas comme les autres. Les ventes progressent chaque année, ainsi que le nombre de « consom'acteurs » sensibilisés à la démarche. Fin 1997, plus de 300 magasins proposent du café équitable : ils sont situés principalement dans l'ouest de la France — Bretagne et Pays de Loire — et, dans une moindre mesure, en région parisienne et dans l'est du pays.

Cependant, les limites d'une action locale apparaissent. En dépit du manque d'appui, le travail entrepris a porté ses fruits mais la récolte est longue...

Le conseil d'administration de l'association décide alors de passer à la vitesse supérieure pour prendre une dimension nationale.

Mais comment passer à une dimension nationale, lorsque l'association ne dispose pas de moyens financiers ? Comment convaincre de nouveaux acteurs économiques — importateurs, torréfacteurs et enseignes — de s'engager alors qu'à peine 3 ou 4 pour cent des Français savent ce que signifie le commerce équitable ? En un mot : comment démocratiser le commerce équitable ?

Démocratiser le commerce équitable, c'est avant tout permettre à tout consommateur d'avoir accès aux produits équitables. Le premier enjeu est donc que les enseignes de la grande distribution ouvrent leurs rayons au café équitable. Le nouveau directeur de Max Havelaar France, Victor Ferreira, qui connaît bien le milieu de l'entreprise, contacte alors les dix enseignes les plus importantes. La réaction est unanime : aucune ne souhaite vraiment s'engager, même si certaines considèrent l'idée intéressante. La réaction d'un représentant d'une des chaînes de magasins est éloquente et caractérise bien le sentiment général : « Votre idée me plaît... Revenez me voir quand vous serez connu ! » Outre le manque de notoriété flagrant, un autre argument est avancé : les consommateurs français ne seraient pas sensibles à ce type de démarche. Les Anglo-Saxons, étant — comme chacun sait — extrêmement différents des Latins.

Le premier écueil apparaît : alors que, dans les autres pays européens, les décideurs économiques se sont montrés très ouverts à la proposition du commerce équitable, la frilosité traditionnelle de leurs homologues français remet en cause toute ambition pour une consommation

responsable à la française. Peu importe que le consommateur français lambda ait des velléités d'achat équitable, le
commerce équitable n'est pas pour lui.

Pour dépasser cette fin de non-recevoir, Max Havelaar France parie sur la mobilisation des consommateurs
pour démontrer aux enseignes qu'elles sont en décalage
vis-à-vis de l'opinion publique.

Il s'agit d'étudier la possibilité d'organiser une campagne de cartes postales-pétitions en partenariat avec
d'autres structures. Des contacts sont pris avec différentes
structures : organisations de solidarité internationale, associations environnementales, syndicats et organisations de
consommateurs. Après quelques mois de préparation, la
campagne est lancée en septembre 1997 : 50 organisations
y participent. Plus de 60 000 cartes postales sont diffusées.
Certains médias relayent l'information : le commerce équitable commence à sortir de l'anonymat. Suite à cette
action, deux enseignes répondent positivement : Monoprix
et Auchan. Deux torréfacteurs s'engagent également : Méo
et Malongo. Ce dernier, en particulier, va jouer un rôle
important dans la croissance du marché du café équitable.

Le défi est alors de pérenniser ces initiatives : la
consommation de café équitable doit atteindre un niveau
suffisant au risque de voir les cafés retirés des rayons. Max
Havelaar France s'engage alors dans la création de groupes
de bénévoles qui, au plan local, vont se mobiliser pour
promouvoir le commerce équitable et organiser des anima-
tions dans les magasins concernés.

Très rapidement Monoprix s'engage sur la durée.
Dans les linéaires de certains supermarchés de l'enseigne,
on trouve jusqu'à trois cafés différents. En septembre
1998, le premier café équitable à marque distributeur est
lancé par Monoprix. L'enseigne annonce son intention de
proposer une gamme complète de produits équitables à sa

marque dans les prochaines années. Progressivement les autres enseignes vont suivre : Carrefour, Leclerc, Casino et Cora. Il en est de même pour les torréfacteurs qui, fin 2001, sont au nombre de 18 à avoir accepté de commercialiser du café équitable.

Les institutions publiques ne sont pas en reste : en juin 1998, l'Assemblée nationale, l'Elysée et Matignon consomment du café labellisé... et le font savoir. Puis c'est au tour des collectivités locales : Conseils généraux, conseils régionaux et une trentaine de municipalités affichent leur préférence.

Résultat, en janvier 2002, la notoriété du label atteignait 9 pour cent et celle du commerce équitable s'approchait des 24 pour cent. En trois ans, les ventes de café ont été multipliées par huit pour atteindre 950 tonnes en 2001, soit 0,6 pour cent de part de marché. Pour le moment, seul le café est véritablement disponible en France. Le thé, les bananas Oké et Eko-Oké et naturellement les jeans Kuyichi doivent encore se faire une place sur le marché français, ce qui ne devrait pas poser de problèmes maintenant que les Français ont découvert le marché équitable

À en croire les premiers signes, il semblerait que nous assistions aujourd'hui à l'amorce d'un changement décisif sur le marché des produits durables. Carrefour joue un rôle déterminant dans cette évolution. Ce dernier développe en effet un café équitable à sa marque. Il a signé pour cela un contrat de plusieurs années avec des coopératives de café mexicaines. UCIRI est le moteur de ce changement. Carrefour offre une assistance technique pour garantir la qualité et le passage à la culture biologique pour son café d'importation. Il propose de plus des conditions justes, respectant les critères du marché équitable. Il a l'intention de développer sa propre marque de café durable avec une part de marché substantielle. La direction a également fait savoir que la production, dans les ateliers équitables, entre autres Xhiina Guidxi au Mexique, de vêtements et de textile pour les besoins de l'entreprise pourrait être une prochaine étape. Carrefour se fait ainsi le précurseur d'une pratique nouvelle des entreprises. Elle consiste pour les super-marchés à prendre leurs responsabilités et à développer, par le biais de leur propre marque, leur stratégie pour le développement de produits durables ; non plus sous l'in-fluence de pressions extérieures et sous la tutelle d'un label, mais selon une politique investissant délibérément dans des relations durables avec les producteurs, en propo-sant des prix justes selon le slogan « vivre et permettre de vivre » et en donnant à leur produit une valeur ajoutée d'ordre social. L'attitude positive de Carrefour va, sans aucun doute, faire école et amorcer ainsi un changement décisif pour les produits durables sur le marché français.

Toutefois le fait que la stratégie de Carrefour ne s'ap-puie pas sur l'utilisation du label Max Havelaar provoque de vives tensions dans les mouvements du commerce équi-table en France. Idéalement, Max Havelaar souhaiterait que l'ensemble des produits équitables porte leur label : une position tout à fait compréhensible du point de vue de Max Havelaar, de son intérêt, de la reconnaissance de son travail. Mais les décisions doivent prendre en compte les intérêts des producteurs de café. De notre point de vue, une relation durable entre Carrefour et les coopératives mexicaines constitue un progrès notable. Les détaillants de tous les pays d'Europe vont d'ailleurs dans le sens de cette stratégie. Ils préfèrent des concepts — des noms — plus étroitement liés à leur propre marque pour contribuer ainsi à l'image de leur compagnie. Ils veulent bénéficier directement des retombées positives de leur engagement. A notre avis, il serait oppor-tun que, eu égard aux initiatives actuelles, ceux qui agissent pour le commerce équitable fassent état de cette évolution et adaptent leur politique à cette réalité.

LES BANANES OKÉ : ÉQUITABLES ET BIOLOGIQUES

Au milieu des années 90, Solidaridad s'attelle au développement d'un système de labellisation pour les bananes. En 1996, les bananes Oké sont introduites sur le marché néerlandais de la consommation. Peu après suit le lancement des bananes équitables sur le marché suisse. Le concept développé pour le café Max Havelaar a été, sur certains points, adapté à la banane. En premier lieu, la création d'AgroFair, une organisation de producteurs chargée du lancement des bananes Oké, permet à ces derniers de contrôler la vente de leur production. Les cultivateurs de bananes sont désormais co-propriétaires de l'organisation.

Second changement, l'aspect environnemental. Les bananes Oké ne sont pas uniquement soumises à des normes d'ordre social, pour la première fois les critères environnementaux ont autant de poids. Ce choix s'imposait, puisque la production bananière est l'un des secteurs agricoles les plus polluants du tiers-monde. La protection de l'environnement figure depuis le début des années 90 en tête de l'ordre du jour. Le développement durable — un concept associant développement social et respect de l'environnement — est devenu le mot-clé. Une banane équitable, produite sans nuire à l'environnement, s'inscrit dans cette tendance.

Pour Solidaridad, le secteur bananier n'était pas un terrain d'action nouveau. Bien avant que la banane Oké ne soit une option, nous étions parfaitement conscients des divers problèmes posés par la culture bananière, tant sur le plan social qu'environnemental. Solidaridad entretenait depuis de longues années des contacts avec les syndicats présents dans un certain nombre de grosses plantations du Costa Rica et du Honduras. Il s'agissait surtout d'ouvriers — hommes et femmes — employés par les géants multinationaux Dole, Del Monte et Chiquita. Dans les bananeraies, les hommes sont généralement employés sur la plantation même, tandis que la plupart des femmes travaillent comme empaqueteuses dans les unités d'emballage.

Au Costa Rica, Solidaridad participait au programme social mis en place par l'évêché de Limon — au cœur de l'économie bananière costaricaine — pour soutenir les ouvriers. Les questions traitées étaient surtout d'ordre social : conditions d'emploi et de travail. Les ouvriers des bananeraies n'ont pratiquement pas voix au chapitre et la marge de manœuvre des syndicats est inexistante ou presque. Les journées de travail sont longues et mal rémunérées. Les nouvelles alarmantes sur les graves problèmes de santé rencontrés par les ouvriers exigeaient un examen approfondi et un débat public.

Parallèlement, Solidaridad était en contact avec le secrétariat féminin du syndicat hondurien des empaqueteuses de bananes. Comme leurs collègues du Costa Rica, elles étaient aussi confrontées à des problèmes de santé. Cancers de la peau et affections pulmonaires provoqués par les désinfectants utilisés pour le nettoyage des bananes. La stérilité tant chez les hommes que les femmes est légendaire. En outre, diverses formes d'injustice sociale étaient aussi signalées au Honduras. Ainsi, les contrats des empaqueteuses sont rarement fixes et leur salaire est inférieur à celui des hommes qui font le travail « dur » dans la plantation. Qui plus est, les conditions de travail dans les unités d'emballages sont désastreuses : les journées sont longues, les pauses courtes et aucun aménagement ou presque n'a été prévu pour les employées enceintes ou avec des enfants en bas âge. L'intimidation sexuelle est monnaie courante.

LA BANANE : UN FRUIT CHIMIQUE

Grâce à ses contacts au Costa Rica et au Honduras, Solidaridad était bien renseignée sur les aspects polluants de la culture bananière. La banane étant un fruit fragile sensible à toutes sortes d'épidémies et autres calamités, de nombreux pesticides sont utilisés dans les bananeraies. Aussi la banane a-t-elle en Amérique latine la réputation d'être un *fruta química*, ou fruit chimique. L'utilisation intensive de produits chimiques engendre de multiples risques de santé pour les ouvriers des bananeraies. Les plantations sont régulièrement traitées par la pulvérisation aérienne de fongicides toxiques. En Amérique centrale, une pulvérisation tous les cinq jours, soit 65 pulvérisations par an, est pratique courante. Les hommes travaillant sur les plantations sont ainsi fréquemment exposés à des substances toxiques : cause à long terme de maladies de la peau et de stérilité.

Pour les femmes travaillant dans les unités d'emballage, les pesticides ont d'autres conséquences. À longueur de journées, elles rincent, trient, étiquettent et emballent les bananes. Le contact constant de leurs mains avec les fruits traités provoque une irritation des ongles. Les substances toxiques finissent par attaquer la peau provoquant, chez nombre de femmes, diverses formes de cancer cutané. De plus, on constate fréquemment des irritations du nez, des affections auriculaires et aussi des cancers du foie.

La toxicité de la plupart des pesticides utilisés est telle qu'ils sont désormais interdits dans les pays producteurs. Il s'agit principalement des pesticides DBCP et du nématode Paraquat. Dès 1997, les États-Unis ont interdit l'utilisation de DBCP, des cas de stérilité et différentes formes de cancer dues à son usage ayant été constatés. Malgré cette interdiction, des millions de litres de DBCP étaient toujours utilisés au début des années 90 au Honduras et au Costa Rica, avec toutes les conséquences que cela comporte. Il est établi qu'une cuillère à café de Paraquat est potentiellement mortelle. Mais comme cette substance est fortement diluée dans de l'eau et s'injecte directement dans le sol, les suites pour les travailleurs dans la culture bananière se limitent à des irritations de la peau et des yeux, qui risquent néanmoins d'entraîner à terme diverses formes de cancers. Afin de limiter un tant soit peu les risques, beaucoup de plantations n'engagent les arroseurs que pour des périodes de six mois.

Le contrôle de l'utilisation de pesticides est beaucoup moins strict dans les pays producteurs de bananes qu'aux États-Unis ou en Europe, par exemple. Un état de fait qui a permis de prolonger — longtemps après leur interdiction — l'utilisation de toxiques virulents. À cela s'ajoute le fait que les travailleurs eux-mêmes ne connaissent pas, ou à peine, les risques qu'ils encourent. Les ouvriers des bananeraies ne sont pas en position de protester. La peur de perdre leur emploi est beaucoup trop forte. Comment feraient-ils vivre leur famille sans le salaire des compagnies bananières ?

Pour nous, la conclusion à tirer des innombrables abus constatés dans le secteur bananier était claire : le commerce équitable était un moyen d'entamer un processus de changement. Nous devions essayer de développer une banane équitable.

LES PROFITS DES MULTINATIONALES

Au niveau européen, la banane en tant que produit était au centre de l'intérêt. Après la formation du marché unique en 1993, il était devenu impératif d'harmoniser les politiques d'importation de bananes des différents pays membres, qui montraient de fortes divergences. Des pays comme l'Angleterre, la France et l'Espagne connaissaient un marché réglementé privilégiant les bananes en provenance de leurs territoires d'outre-mer et de leurs anciennes colonies. En revanche, les pays scandinaves, l'Allemagne et les Pays-Bas connaissaient un marché libre où les importations étaient essentiellement celles de « bananes-dollar » provenant d'Amérique latine. Aligner les différentes situations n'était pas chose facile.

La politique européenne de la banane, mise en place en 1993 après de laborieuses négociations, était loin d'être parfaite. Condamnée à quatre reprises par l'Organisation mondiale du commerce (OMC), il a fallu la modifier. Rapidement, il fut clair que la dimension politique du marché de la banane ne pouvait être ignorée. La politique européenne sur les bananes allait devenir un facteur décisif pour le développement des projets de Solidaridad.

Solidaridad a décidé en premier lieu d'effectuer une étude de faisabilité pour déterminer si une coopération avec les compagnies était possible. Par ailleurs, il fallait développer des critères de labellisation Max Havelaar pour les bananes. L'organisation du marché de la banane n'étant pas la même que celle du café, beaucoup de choses étaient à clarifier.

Contrairement au café, la banane est un produit fragile. La récolte, l'emballage, le transport, le mûrissement et la distribution doivent être terminés en cinq semaines, les bananes devant arriver aussi fraîches que possible dans les magasins. Nous étions conscients que sur le plan commercial et logistique, lancer un produit frais sur le marché est une opération complexe. Parallèlement, le fort potentiel commercial de la banane équitable était devenu peu à peu manifeste. Comparé au café, la banane présente un avantage majeur : la fidélité à une marque ne joue pratiquement pas. Le consommateur achète les bananes qui lui sont proposées. Les rayons n'offrent pas de choix. Cette structuration du marché allait peut-être jouer en notre faveur.

Je me suis alors plongé dans la formation du prix des bananes. Nos calculs nous réservaient une surprise. L'association Max Havelaar était en mesure de fixer un prix pour les producteurs de 35 pour cent supérieur aux niveaux de prix courants, sans augmentation du prix à la consommation. La marge de bénéfices des multinationales s'est en effet avérée si haute que le profit net pouvait être utilisé pour augmenter substantiellement le prix à la production, sans effets négatifs sur le prix à payer par le consommateur. Voilà qui était une bonne nouvelle. Cela signifiait que pour la première fois, un produit « équitable » pouvait concurrencer un produit « classique » et avait des chances de conquérir une part significative du marché.

Pour le café, les choses se présentaient différemment. Chaque centime supplémentaire proposé aux producteurs débouche inévitablement sur une différence de prix dans le magasin entre le café Douwe Egberts et le café Max Havelaar. Une concurrence des prix serrée entre les torréfacteurs a neutralisé les possibilités de marges extrêmes. La situation est totalement différente dans le commerce de la banane. Le mécanisme du libre-échange est en fait inexistant. Le prix est fixé par quelques multinationales géantes. Elles se font âprement concurrence pour conquérir des créneaux sur le marché, mais se comportent en cartel officieux en ce qui concerne le niveau des prix. Le maintien des profits nets sur le marché européen est leur intérêt commun.

Nous avions calculé que le prix stable pour une caisse de bananes de 18,14 kg produites, dans le cadre de l'agriculture durable, devait s'élever à 7,25 dollars. Ce niveau de prix permet aux producteurs d'investir dans une structure de production efficace et respectueuse de l'homme et de l'environnement. Les multinationales appliquent cependant des prix beaucoup plus bas. Chiquita paye au maximum pour une caisse de bananes 5,50 dollars au Costa Rica et dans le meilleur des cas 4,20 en Équateur. Ces prix — franco à bord, c'est-à-dire à la livraison au port d'expédition — ne reflètent absolument pas les coûts réels, ils ne font qu'indiquer les rapports de force sur place. Les prix payés par Dole et Chiquita illustrent à quel point les charges se répercutent sur les générations futures et à quel point la génération actuelle est exploitée. La question de l'économie qui est faite sur ces charges nous conduit au problème environnemental et social dans le secteur bananier.

Si le commerce équitable pouvait désormais offrir un prix durable de 7,25 dollars aux producteurs, le contraste avec les prix payés par les multinationales serait particulièrement favorable. Il signifierait au minimum une augmentation de 35 pour cent pour les cultivateurs.

UNE IRRÉGULARITÉ DANS LA STRUCTURE DU PRIX

Ce calcul nous rendait optimistes. Si cette formation du prix était réellement mise en place, la banane pourrait bel et bien être le premier produit du commerce équitable à percer sur l'ensemble du marché.

Outre fixer le prix minimal pour les producteurs, il fallait aussi analyser les autres éléments intervenant dans la formation du prix. Dans le secteur bananier, le préfinancement — facteur majeur pour le café — n'est pas nécessaire. Les bananes sont récoltées, expédiées et immédiatement payées toutes les semaines : comptant contre documents, dans le jargon du métier. Ce qui signifie que les documents d'embarquement sont envoyés par fax à l'importateur dès le chargement des bananes sur le bateau. Le paiement est effectué directement à la réception du fax. Le préfinancement étant superflu dans le cas des bananes, il n'y a pas non plus de frais de financement additionnels. À 7,25 dollars la caisse, il était possible de produire une banane équitable.

Dans le calcul du prix sur la totalité de la colonne exploitation, je me suis cependant heurté à un poste obscur, « les frais de licence ». Des connaisseurs du marché nous ont expliqué qu'il fallait prendre en compte un poste de frais supplémentaire d'environ trois dollars par caisse.

Formation du prix

	Caisse de bananes / 18,14 kg	
prix en euros	*Chiquita*	*Oké*
PRIX À LA PRODUCTION		
prix cultivateur	3,70	6,30
frais locaux dans le port	2,00	2,00
fret maritime / hors taxe-0p=	3,40	3,40
droits de douane	1,35	1,35

prix en euros	Caisse de bananes / 18,14 kg	
	Chiquita	*Oké*
frais de licence UE		
économie Chiquita	-3,00	
charges AgroFair		+3,00
mûrissement	1,15	1,15
marge importateur	4,60	2,00
profits du fait des licences		
Chiquita	3,00	
AgroFair		0,00
distribution	2,00	2,00
marge commerçant T.V.A. incl.	11,45	11,45
prix à la consommation	32,65	32,65
par kg en euros	1,80	1,80

Je voulais en savoir plus sur ces fameux frais de licences. Ils découlaient de la réglementation européenne. Pour faire entrer une caisse de bananes dans l'Union européenne, il faut être en possession de documents d'importation — appelés licences. Ces licences sont délivrées gratuitement à Bruxelles et doivent être présentées à la douane avant le dédouanage. Mais fait curieux, les licences n'étaient pas accordées automatiquement aux entreprises. Si les producteurs de bananes équitables voulaient fonder une nouvelle entreprise commune, ladite entreprise n'obtiendrait pas de licences gratuites de Bruxelles, nous a-t-on expliqué. Nous pouvions acheter des licences, qui nous coûteraient au minimum trois dollars par caisse. Le sujet paraissant complexe, je demandais à mon collègue Jeroen Douglas de se rendre à Bruxelles pour en savoir plus.

Dans les années qui suivirent, Jeroen Douglas s'est révélé être un véritable lobbyiste de la banane, capable de retrouver son chemin dans le labyrinthe politique de la bureaucratie européenne. Comprendre le système de licence n'était pas chose simple au départ. Lorsque Jeroen Douglas a demandé le pourquoi et le comment des trois dollars de frais de licence, ses interlocuteurs bruxellois ne lui ont pas donné de réponse directe. Que se passait-il ?

De fil en aiguille, il s'avéra que cette procédure avait pour but de protéger les bananes européennes et les bananes en provenance des pays dits ACP : les territoires d'outre-mer et les anciennes colonies des pays européens. Les importateurs de bananes de certains pays ACP, avec lesquels l'Angleterre, la France et l'Espagne ont des liens historiques, ne sont pas en mesure de concurrencer les bananes dollars d'Amérique latine et doivent donc jouir — selon Bruxelles — d'un régime préférentiel. (Les bananes dollars doivent leur nom au fait qu'elles sont vendues par des multinationales d'Amérique du Nord.) Cette politique était supposée servir le développement. Les bananes ACP provenaient soi-disant de petits cultivateurs des Caraïbes et d'Afrique, alors que les bananes dollars étaient mises sur le marché par les multinationales américaines « qu'il fallait combattre », affirmait Bruxelles. Il était curieux d'entendre ce langage, appartenant d'ordinaire au registre militant, dans la bouche d'un « respectable » fonctionnaire.

Le fonctionnaire néerlandais Tilgenkamp était l'auteur de la réglementation européenne. Il nous a expliqué dans les moindres détails que le protocole de l'UE sur la réglementation du marché de la banane était une sorte de commerce équitable au macro-niveau. Une explication reprise sans broncher par nombre d'autres organisations pour le développement, mais quant à nous, l'image présentée suscitait des interrogations. Nous avons insisté et tenté de savoir le fin mot de l'histoire.

Dans la pratique, la soi-disant protection des cultivateurs de bananes des pays ACP ne tenait plus vraiment debout. Petit à petit, nous commencions à entrevoir la réalité. Bruxelles avait beau affirmer que la réglementation visait à protéger les petits cultivateurs de bananes des pays ACP, la réalité était tout autre. La politique européenne de la banane était formulée de façon à protéger la position des importateurs européens sur le marché. Cette politique englobait beaucoup plus que le seul tarif préférentiel appliqué aux bananes ACP ; une mesure qui, somme toute, n'aurait pas été si mauvaise en soi. Parallèlement, l'organisation du marché de la consommation était remaniée par une intervention musclée du côté européen.

Deux mesures avaient été concoctées pour réguler le marché de la consommation : un quota sur l'importation des bananes et un système de licences. Le quota fixe la quantité maximale en tonnes de bananes autorisées à entrer en Europe. Le total des importations était fixé à quelque 15 pour cent en dessous du niveau de consommation historique, créant une pénurie artificielle sur le marché européen. Qui dit pénurie, dit augmentation des prix. En 1993, à l'entrée en vigueur de la réglementation, la hausse moyenne des prix de la banane au sein de l'Union européenne a atteint les 30 pour cent.

Grâce à ce niveau de prix élevé maintenu artificiellement, le marché européen est devenu extrêmement lucratif dans le monde entier. Les producteurs de bananes exportent volontiers vers l'Europe, puisque les prix offerts sont nettement plus élevés qu'aux États-Unis ou au Japon. Afin de maintenir quand même le quota fixé, il fallait réguler l'entrée sur le marché européen. Un mécanisme de régulation était nécessaire maintenant que celui de l'offre et de la demande était neutralisé. La pénurie engendrée par la voie politique rendait obligatoire l'introduction d'un système de licence.

Une licence est un document que l'importateur doit présenter à la douane pour chaque caisse de bananes

importée. Les licences sont délivrées à Bruxelles et distri-
buées d'après les parts de marchés traditionnelles. Le
nombre de licences accordées à une entreprise est fondé
sur le volume de bananes importé, sur une période de trois
ans. L'attribution de licences est donc liée au partage existant du marché. Ce système exclut les nouveaux acteurs.
On avait bien pensé aux nouveaux arrivants, mais le quota
réservé à ce groupe n'était que de 3 pour cent, et la
complexité du système d'attribution était telle qu'il n'offrait pas de véritables possibilités aux nouveaux acteurs.
Le marché avait été tout simplement barricadé.

Un sérieux problème pour Solidaridad. Comment
l'entreprise qui devait être créée pour importer des bananes
équitables pourrait-elle jamais obtenir les indispensables
licences d'importation ?

La distribution des licences entre les parties déjà présentes sur le marché devait d'ailleurs être la source d'une
longue querelle entre Bruxelles et Washington. Bruxelles
avait saisi l'occasion pour privilégier fortement les compagnies bananières européennes. Les attributions n'étaient
pas faites sur une base d'un pour un. Les multinationales
américaines étaient obligées de céder leur part de marché ;
les entreprises européennes avaient l'occasion d'élargir la
leur. Un quart du quota sur les importations de bananes
dollars était transféré aux entreprises européennes. Les
Américains n'ont pas accepté ce réaménagement politique
des parts de marché et ont engagé à plusieurs reprises des
actions contre la politique européenne sur les bananes
auprès de l'OMC ; ce n'est qu'au printemps 2001 qu'un
arrangement a été pris entre les différents partis.

LA BANANE EUROPÉENNE : UN VRAI CANULAR !

Petit à petit, nous commencions à comprendre le fonctionnement du système des licences, en revanche leur prix représentait encore une énigme. Il était clair que nous ne pouvions espérer en obtenir une. En tant que nouvel acteur commercial, nous n'avions pas de volume de référence. Nous étions dans une impasse : sans licences, pas question d'importer ! On nous rassura : « Vous pouvez toujours en acheter une. » En effet, il existait un marché de licences. Nous allions de surprise en surprise. Pourquoi payer alors qu'elles étaient délivrées gratuitement par Bruxelles ?

À cause du quota assez bas, l'Europe a créé un niveau de prix artificiellement élevé, rendant ainsi l'exportation vers l'Europe intéressante. La conséquence en était le prix à payer pour entrer sur le marché européen. Les licences délivrées gratuitement par Bruxelles, à l'origine, avaient acquis une valeur marchande, appelée *quota rente*. La valeur marchande d'une licence s'élève à la différence de prix entre les États-Unis et l'Europe, moins les frais de transport. C'est-à-dire en moyenne trois euros.

Ce système avait différentes conséquences. Les compagnies qui, déjà installées sur le marché, avaient obtenu gratuitement la licence pour l'importation de leurs bananes dollars, gagnaient ainsi une marge de bénéfice de deux euros. D'autres avaient obtenu la licence alors qu'elles n'avaient pas l'intention d'exporter des bananes européennes. Elles pouvaient revendre leur licence et gagner ainsi trois dollars par licence. On vit donc naître un commerce florissant de licences. Leur valeur totale représente plus de 50 millions d'euros par an.

Ce sont surtout les compagnies françaises et espagnoles qui ont profité de cette manne qu'elles avaient obtenue pour l'exportation de bananes dollars sans avoir aucun projet dans ce sens. Elles revendaient donc leurs licences, faisant ainsi des bénéfices appréciables. À Bruxelles, les représentants de ces deux pays se chargeaient de défendre ce système lucratif.

J'ai eu du mal à comprendre ce canular des bananes européennes. L'argument de la protection des pays ACP cachait la vérité. Après avoir compris le système, je devins sceptique quant à l'avenir de l'Europe. La conséquence de la politique européenne des bananes était que le consommateur payait 50 centimes de trop par kilo. Une partie de ces bénéfices allait aux compagnies françaises et espagnoles qui faisaient commerce de leurs licences et l'autre profitait aux multinationales américaines. Ce système, contrairement à ce que voulaient nous faire croire les politiciens, n'avait rien à voir avec l'aide aux petits producteurs du tiers-monde ou autres motifs nobles, bien au contraire.

En faisant un tour d'horizon des politiciens de Bruxelles, j'ai rencontré toutes sortes de gens pleins de bonnes intentions qui défendaient ardemment la politique bananière, convaincus que celle-ci était dans l'intérêt des pays ACP. Naïfs et dépourvus de toute connaissance en matière d'économie, ils se laissaient manipuler par le lobby ACP.

Accompagné de Jeroen Douglas, j'ai eu quelques discussions sérieuses avec des fonctionnaires, anglo-saxons pour la plupart, qui eux s'y connaissaient en économie. Ils défendaient la politique européenne de la banane en s'appuyant sur le principe des subventions croisées. La valeur des licences permettrait aux compagnies européennes de faire venir les bananes d'outre-mer dont le coût d'importation est élevé — la Guadepoupe, la Martinique, les Canaries — et des pays ACP, ces coûts étant compensés par le coût de revient relativement bas des bananes dollars. Le coût de revient moyen étant plus bas, les compagnies européennes peuvent faire concurrence aux multinationales américaines.

La compagnie irlandaise Fyffes s'est en effet organisée de cette façon. Elle avait accès à des bananes bon marché de la zone dollar et compensait ainsi les coûts plus élevés des bananes des Antilles, de Belize et du Surinam. Fyffes était la seule compagnie à investir dans l'avenir de façon stratégique. Ses consœurs françaises, grecques, italiennes et espagnoles se contentaient de vendre leurs licences et d'empocher des millions sans aucune prestation commerciale ou valeur ajoutée en échange.

Si ce système devait instaurer une période de transition, le temps pour les compagnies européennes de s'habituer à la libéralisation du marché, il était complètement détourné de son objectif. Les compagnies préféraient encaisser l'argent des licences, plutôt que d'investir dans des contacts avec les producteurs de la zone dollar. On jouait la carte de la politique à court terme. Face à cette situation, les multinationales Chiquita et Dole se sont mises à investir au Cameroun et en Côte d'Ivoire. Elles voulaient profiter ainsi des avantages de la réglementation européenne dans ces pays. Résultat : en un an, elles ont évincé les paysans africains du marché, prouvant encore une fois que la politique européenne ne poursuivait en rien des objectifs d'aide au développement.

Une chose était claire pour nous. La réglementation européenne allait entraver nos projets de commerce équitable. En fait, le marché était fermé aux nouveaux venus et les compagnies en place n'avaient aucune envie d'innover. Leur part de marché était garantie par le système des licences, ce qui bloquait toute tentative de changement.

Dans les bureaux de Solidaridad, on soupirait : « Le commerce équitable des bananes est loin d'être gagné ! » Entre-temps, l'équipe s'était penchée sur la question des critères auxquels devaient répondre les hypothétiques bananes équitables. L'organisation avait conçu un programme de développement pour aider les producteurs à répondre aux sévères critères de durabilité. Après avoir longuement parlé avec les ouvriers agricoles concernés dans les différentes régions, nous avions une idée de ce qu'il devrait être.

La liste des mesures concernant les conditions de travail et de protection de l'environnement était longue. Les organismes de label ont déterminé, d'une part, des critères minimums immédiats, et d'autre part, des critères à long terme, car grâce à la prime qu'il reçoit, le producteur a les moyens d'investir dans la production écologique et dans l'avenir et donc de remplir petit à petit les critères d'ordre environnemental. La prime Max Havelaar sert ainsi à réaliser une production respectueuse des travailleurs et de l'environnement.

Dans le domaine de la banane, Max Havelaar a affaire à différentes formes d'organisation des producteurs. Le registre comprend des coopératives, mais aussi des plantations aux mains de particuliers. Dans le dernier cas, l'organisation des travailleurs, le syndicat, est l'interlocuteur de l'organisme du commerce équitable. Or, c'est le propriétaire de la plantation qui est payé, les relations commerciales se font au niveau de l'entreprise. Les syndicats ont donc un rôle important à jouer. Ils doivent garantir que la prime reçue pour les bananes équitables est bien investie dans l'augmentation des salaires et l'amélioration des conditions de travail.

Les droits syndicaux sont les premiers à figurer sur la liste des critères sociaux. Le syndicat signe avec le producteur un accord sur les conventions collectives et ils décident ensemble de la façon dont la prime Max Havelaar sera réinvestie. Les salaires doivent permettre aux travailleurs de subvenir à leurs besoins. De plus, le paiement des retraites doit être assuré, ainsi que celui des congés de maternité. On s'occupe également de l'amélioration des conditions de travail, c'est-à-dire, horaires fixes, limitation et paiement des heures supplémentaires, droit aux congés payés, droits sociaux, normes de sécurité et d'hygiène sur le lieu de travail et sécurité de l'emploi. Le droit de grève devrait être reconnu et l'interdiction du travail des enfants respectée.

Nous attendions beaucoup des syndicats, malheureusement, dans la pratique, nous avons déchanté. Dans le secteur de la banane, les syndicats indépendants sont pratiquement absents. On comprend pourquoi la stratégie des multinationales a eu un tel succès. Durant des décennies, elles se sont serré les coudes et par tous les moyens, licites ou illicites, elles ont empêché leurs employés de s'organiser. Leur pratique est étroitement liée à une tradition de répression sociale. Le droit syndical est pour les grandes compagnies lettre morte. Les activités syndicales ont été systématiquement réprimées, parfois même par la force. Les travailleurs cherchant à s'organiser étaient licenciés.

Les années 60 virent apparaître un nouveau système appelé en espagnol *solidarismo*. Les multinationales mirent en place des syndicats contrôlés par les employeurs. Ils devaient veiller à maintenir l'ordre. Les syndicats autonomes, dans la mesure où ils existaient, ont eu beau s'opposer à ce genre d'initiative, ils ont perdu du terrain. Ils s'affaiblissaient, les comités disparaissaient. Le soutien des syndicats étrangers a ralenti le processus, mais n'a pu l'arrêter. Le mouvement syndicaliste s'isolait, les responsables syndicaux se radicalisaient et se retranchaient dans la rhétorique syndicale marxiste.

Nous assistions là à un phénomène assez courant. Lorsqu'un syndicat est reconnu, qu'il a tout loisir d'exercer son influence, il adopte des positions modérées. Si, au contraire, ses activités sont réprimées, ses positions se radicalisent. Chiquita, malgré une politique injuste et sanglante, a tout de même réussi à asseoir la position de Solidarismo et à marginaliser les syndicats traditionnels. L'âpreté des conflits, la fermeture d'entreprises et la polarisation d'un combat qui a débouché sur une impasse, ont fait perdre à ces derniers la confiance des travailleurs.

Il est difficile à présent de relancer la question du droit des travailleurs à un syndicat autonome. Bien que le droit de s'organiser reste un principe de base du commerce équitable, il est difficile à réaliser dans un avenir proche. Max Havelaar a donc cherché d'autres formes de participation. Nous nous sommes inspirés du modèle néerlandais : le modèle polder, un organe de concertation à trois. Les employeurs, les travailleurs et les organismes de label sont représentés et décident ensemble de l'utilisation de la prime. Ce modèle va peut-être supprimer petit à petit les réticences vis-à-vis d'un syndicat indépendant.

DES PESTICIDES DANGEREUX

Comme dans le domaine social, dans le domaine de l'environnement nous avons fait la distinction entre les critères minimums et les objectifs à remplir à long terme. L'un des critères les plus importants est la réduction des pesticides et des engrais chimiques. L'utilisation de produits dangereux comme Paraquat et DBCP est interdite et celle des fongicides déversés par avion est limitée. Dans l'installation de nouvelles plantations, le respect de l'écosystème est prioritaire. L'intégration de la plantation dans le cadre naturel est un critère secondaire.

Un contrôle de l'érosion est exigé ainsi que la protection de la qualité des eaux souterraines. Il faudra également définir des règles pour l'élimination des déchets, comme les sacs plastique qui entourent les régimes de bananes. Ces sacs sont imprégnés de produits très nocifs. Enfin, il faudra former un personnel chargé de définir des critères environnementaux, de les contrôler et de les renforcer.

En 1996, les normes auxquelles les bananes équitables devraient répondre ont été définies en étroite collaboration avec des groupements de producteurs d'Amérique latine et d'Afrique. Ce travail nous a permis de cerner dans quelle mesure les producteurs étaient prêts à appliquer ce programme sérieusement. Nous avons trouvé trois groupements prêts à démarrer dans trois pays différents. Le choix est tombé en premier sur plusieurs coopératives de paysans en Équateur, dans le district de El Guabo, près du port bananier Machala : El Guabo, La Libertad et Tenguel. Leurs membres disposaient de surfaces de quatre hectares en moyenne. La coopérative Coopetrabasur à l'extrême sud du Costa Rica, près de la frontière du Panama, était, elle aussi, prête à produire des bananes équitables. Et la troisième était une compagnie africaine : Volta River Estates au Ghana.

Solidaridad mit à la disposition de ces producteurs les moyens nécessaires pour leur permettre de répondre aux critères minimums, garantissant ainsi la production des premières bananes équitables. La production était en route, il nous restait à résoudre un dernier problème : l'accès au marché ?

AGROFAIR : UNE COMPAGNIE DE PRODUCTEURS

Nous avons vite compris que, pour que les bananes équitables soient en vente dans les magasins, il nous restait deux handicaps à surmonter.

Le premier, c'était que le lancement de la banane équitable n'intéressait aucune compagnie. Nous avons résolu ce problème en montant notre propre compagnie : AgroFair.

Ensemble des normes minimales de travail et d'environnement s'appliquant à une production durable des bananes

Conditions de travail

N°	THÈMES	BRÈVE DESCRIPTION	RÉSULTATS
1.	conventions OIT [1] 87 et 98	libertés syndicales droit aux conventions collectives	appliquées
2.	conventions OIT 100 et 111	anti-discrimination et égalité des salaires	appliquées
3.	conventions OIT 29, 105, 138	interdiction du travail forcé et du travail des enfants	appliquée
4.	convention OIT 110	conditions de travail et sociales minimales pour les travailleurs des plantations	en pourparlers
5.	convention OIT 155	droit à la sécurité et à l'hygiène sur le lieu de travail	en pourparlers

Normes environnementales

N°	THÈME	BRÈVE DESCRIPTION	RÉSULTATS
1.	biodiversité	protection des zones naturelles	appliquée
2.	érosion	prévention de la pollution des eaux	en pourparlers

---

1. OIT : Organisation internationale du travail.

N°	THÈME	BRÈVE DESCRIPTION	RÉSULTATS
3.	pesticides	information, contrôle et réduction de l'usage de pesticides	en pourparlers
4.	engrais	information, contrôle et réduction de l'usage d'engrais	en pourparlers
5.	déchets	contrôle, diminution et compostage des déchets	en pourparlers

Le deuxième résidait dans le fait qu'en tant que nouveaux venus sur le marché, nous n'obtiendrions pas de licence d'importation, ce qui nous empêcherait d'accéder au marché européen. Ces obstacles semblaient insurmontables, pourtant nous ne pouvions plus reculer. Les producteurs de bananes en Équateur, au Costa Rica et au Ghana comptaient sur nous.

Nous avons pensé qu'il serait sage de trouver un partenaire dans le monde des affaires, de préférence une personne susceptible de résoudre le problème des licences. Un tour d'horizon du marché confirma ce que nous savions déjà : le nombre d'intervenants dans le monde de la banane est très restreint. Le marché est dominé par les multinationales Chiquita et Dole. Il existe également quelques compagnies exportant des pays ACP, comme la firme irlandaise Fyffes/Geest-concern et quelques importateurs locaux français et espagnols. On en trouve également quelques-uns dans les pays producteurs, comme Noboa en Équateur avec ses Bonita-bananes et la compagnie colombienne Banacol.

Aucune de ces sociétés ne s'intéressait au commerce équitable. Seule Fyffes laissait entrevoir une possibilité. Je me rendais donc à Dublin pour tâter le terrain. Dans un deuxième entretien avec leur représentant à Anvers, je réalisais que nous avions peu de chances. Notre projet ne présentait aucun intérêt pour Fyffes qui ne vendrait pas plus de bananes grâce à nous.

Comme la législation de Bruxelles avait fait du marché de la banane un marché des licences, c'était ces dernières qui déterminaient le chiffre d'affaires, et non le choix du consommateur. Pour Fyffes qui disposait de suffisamment de licences, anticiper sur les choix du consommateur « responsable » avait, du point de vue commercial, peu d'intérêt. On pouvait, bien sûr, reprocher à ses managers de penser à court terme, mais il fallait bien reconnaître que les politiciens les avaient placés dans une position très confortable.

Le seul avantage que je retirais de ma tournée des entreprises était une meilleure compréhension des structures du marché. Celui de la banane est structuré de façon oligopolistique, c'est-à-dire qu'un petit nombre d'entreprises se partage le marché et peut ainsi en définir les règles. J'ai également appris qu'ici, il n'est pas question de concurrence des prix. La pratique est on ne peut plus simple : chaque jeudi à midi, le directeur commercial de Chiquita fixe son prix pour la semaine. Les autres sociétés déterminent le leur en fonction d'une marge constante par rapport à celui-ci. Peu de surprises dans ce système. Les petites compagnies se livrent en revanche une lutte sans merci. Évidemment, ce segment des prix, au bas de l'échelle, montre peu de stabilité. Certaines de ces compagnies subissent des pertes énormes. Pour elles, le marché de l'Europe de l'Est représente une soupape de sûreté pour les volumes en excédent.

La concentration des pouvoirs est renforcée par la législation européenne. Rapidement, les derniers importateurs indépendants sont éliminés par les autres. Il fallait donc se dépêcher de trouver un partenaire afin de monter, avec Solidaridad, une compagnie de bananes équitables.

Les acteurs indépendants n'existaient pratiquement plus. J'épluchais tout le secteur national de la banane à la recherche d'un partenaire.

Ce que je découvrais ne m'encourageait guère. Le monde du fruit frais s'avérait être un monde surprenant. Je rencontrai un nombre impressionnant d'entrepreneurs démotivés. Toute une génération s'apprêtait à se retirer, à se résigner à vendre leur compagnie, n'étant pas de taille à s'opposer plus longtemps à la concurrence. La situation était cocasse. On me proposait des entreprises à vendre, mais personne n'était prêt à se lancer avec nous dans une nouvelle initiative. Je rencontrai ensuite une autre sorte d'entrepreneurs, de jeunes loups aux dents longues, qui voulaient faire de l'argent le plus vite possible. Au cours de nos entretiens, je voyais les dollars briller dans leurs yeux. Les questions de durabilité étaient le cadet de leurs soucis.

Ma dernière chance était la firme Ambtman de Barendrecht, l'une des dernières compagnies bananières des Pays-Bas. J'y rencontrai Leen Paardekooper, jeune P-DG dynamique. Enfin, quelqu'un s'intéressait à mes projets et après de nombreux entretiens, des possibilités de collaboration commençaient à se dessiner. Ambtman devint notre partenaire. Trois ans plus tard il s'avéra que ce choix n'avait pas été très heureux.

Au sein de Solidaridad, on avait, entre-temps, préparé les projets de mise en place d'une nouvelle compagnie. Pour le lancement du café et des autres produits nous avions collaboré avec des sociétés existantes, mais il en était autrement dans le monde de la banane. Solidaridad a alors misé sur AgroFair. Comme nous étions obligés de monter notre propre entreprise, il fallait saisir notre chance en lançant une nouvelle formule dans le cadre de l'aide au développement.

La formule d'AgroFair est innovatrice sur un certain nombre de points. Tout d'abord, c'est une compagnie qui commercialise exclusivement des produits équitables. De plus, fait unique dans le monde bananier, AgroFair est une compagnie de producteurs. Les producteurs du tiers-monde sont actionnaires.

Au début, nous avons choisi la formule suivante : les parts d'actions étaient partagées en trois : un tiers pour les coopératives de paysans, un tiers pour Solidaridad, et le troisième pour notre partenaire, la firme Ambtman. Depuis, ce dernier a été racheté et, à présent, les producteurs sont actionnaires à 50 pour cent et Solidaridad se partage l'autre moitié avec des ONG italiennes, l'entreprise commerciale CTM, entreprise alternative et dynamique, et la société britannique Twin Trading. Cette construction offre de nouvelles possibilités aux partenaires du tiers-monde. Leurs intérêts au sein de l'entreprise leur garantissent non seulement un prix équitable pour leur produit, mais leur permettent également de participer à la politique de marketing. De plus, en tant qu'actionnaires, ils ont droit à une part des bénéfices. Ce nouveau concept signifie : un prix équitable, une participation équitable et un partage équitable des bénéfices.

AgroFair, en tant que compagnie de producteurs, tente d'innover de nouvelles pratiques en rupture avec celles du monde économique. On constate sans cesse le même mécanisme : les compagnies occidentales s'accaparent les chaînes de production et se déplacent toujours plus loin vers le Sud. Elles ne se contentent pas de vendre les bananes, elles contrôlent aussi la production et la logistique. Ce phénomène s'appelle l'intégration de la chaîne de production. On pourrait dire qu'AgroFair fait le contraire : le producteur du tiers-monde intègre la chaîne de production selon ses intérêts. Il ne livre pas seulement un produit, il organise la logistique et décide de la politique de vente. Les expériences d'AgroFair et Solidaridad sont encourageantes. Elles confirment, contrairement à ce qui a souvent été avancé, qu'il est tout à fait possible d'impliquer les producteurs du tiers-monde dans la politique de l'entreprise et de leur donner des responsabilités en matière de marketing.

AgroFair était lancée, il fallait trouver un nom pour nos bananes. Après avoir longtemps hésité, nous avons choisi « Oké », un nom international. Il a une connotation positive sans être moralisateur. Dès l'entrée des bananes biologiques sur le marché, nous lancerons les bananes Eko-Oké, un tandem prometteur.

UN NÉERLANDAIS AU SERVICE DE LA FRANCE

Il nous restait un handicap à surmonter : comment faire entrer AgroFair sur le marché ? En tant que nouvelle compagnie, AgroFair ne pouvait pas obtenir de licences d'importation puisqu'elles étaient accordées en fonction des parts de marché. Nous avons soumis le problème à M. Tilgenkamp, le plus haut fonctionnaire de Bruxelles dans ce domaine. Ce Néerlandais au service de la France, comme on l'avait surnommé à cause de son engagement pour les intérêts français, était un fervent défenseur de la législation existante, il nous renvoya aux « aides pour les nouvelles compagnies ».

Il existait, en effet, des mesures pour les nouvelles entreprises. Comme les accords européens interdisent la fermeture du marché, 3 pour cent des licences étaient réservées aux compagnies n'ayant pas de parts de marché. Nous fûmes vite déçus. Pour obtenir une licence dans la marge des 3 pour cent, il fallait déjà occuper une place dans le commerce des fruits, et ne pas avoir commercialisé de bananes. AgroFair était une nouvelle compagnie et n'avait jamais participé au commerce de quelque fruit que ce soit.

Cette mesure pour les nouvelles compagnies était en fait un leurre. Les licences permettaient en moyenne d'importer 27 tonnes de bananes par an. Une mesure supplémentaire portait ce volume à 45 tonnes. Cela ne suffit pas à remplir un camion par semaine. De plus la délivrance de la licence n'était pas sûre, ce qui menaçait la continuité de l'opération. Cette mesure ne servait qu'à renflouer les caisses de quelques opportunistes qui pouvaient en tirer quelques millions d'euros par an. Des négociants en fruits qui n'avaient nullement l'intention d'importer des bananes demandaient autant de licences que possible, et les revendaient avec profit.

Lorsque je questionnai M. Tilgenkamp sur le fonctionnement des mesures pour les nouvelles compagnies, nos relations s'envenimèrent. Cependant, grâce à la persévérance de mon collègue Jeroen Douglas, on put observer une évolution dans l'attitude des fonctionnaires de l'Union européenne. Tilgenkamp nous conseilla d'étudier la possibilité d'exporter nos bananes dans la catégorie « pays ACP non traditionnels », ce sont les pays qui font partie des pays ACP, mais n'exportent que depuis peu en Europe. Il y a quelques années, ils exportaient par exemple au Ghana ou en République dominicaine.

En ce qui concerne la réglementation du commerce des bananes au sein de l'Union européenne, ces pays ont acquis un statut particulier. Leurs exportations sont exemptes du tarif d'exportation, comme c'est le cas pour les pays ACP « traditionnels ». Cependant, elles ne sont pas dispensées de licence d'importation. Sur ce point, elles sont soumises au même régime que les bananes dollar. Tilgenkamp proposa d'accorder à ces pays ACP « non-traditionnels », une dispense de licence, ce qui permettrait à AgroFair d'importer.

Ce n'était pas une mauvaise idée. En tout cas, elle offrait des perspectives. Au Ghana comme en République dominicaine, Solidaridad avait la possibilité de développer le marché équitable. Au Ghana, avec l'aide de la Société de financement pour l'aide au développement (FMO), une plantation de bananes avait été installée aux pieds du barrage Akosombos, le long de la Volta. Je me rendis au Ghana et, en effet, les paysans étaient très enthousiastes à l'idée d'adopter une production respectueuse des hommes et de l'environnement.

Il y avait aussi des possibilités en République dominicaine. Depuis le milieu des années 90, le secteur de la banane traversait une crise grave. La plupart des bananes de l'île étaient produites par des paysans indépendants — en majorité des petites et moyennes exploitations — qui vendaient leurs récoltes aux multinationales Chiquita et Fyffes. Ces dernières étaient sur le point de cesser leurs activités, plongeant tout le secteur dans la crise. Les producteurs étaient donc enchantés de trouver d'autres acheteurs. De plus la région s'avéra idéale pour la culture biologique, entre autres parce que, contrairement à d'autres pays bananiers, on n'y connaît pas le parasite *black sigatoka*. Ce champignon ne peut être combattu que par des pulvérisations de produits chimiques, ce qui constitue un obstacle majeur au développement de la culture biologique dans les pays où il sévit.

LA FIN DE L'HISTOIRE ?

Solidaridad se réjouissait déjà de la proposition de Tilgenkamp. La nouvelle compagnie AgroFair pouvait se lancer. Avec les exportations en provenance du Ghana et de la République dominicaine, et celles de l'Équateur et du Costa Rica, nous disposions d'une production suffisante. Comme les premières étaient dispensées de licence, nous ne prenions pas trop de risques.

Nous nous mîmes au travail. Nous suivions de près l'évolution des choses à Bruxelles. Grâce à Tilgenkamp, la proposition de dispense de licence faisait son chemin dans la paperasse bureaucratique. Après avoir suivi l'affaire attentivement pendant des mois et avoir fait pression en temps voulu, nous fûmes heureux de la voir enfin adoptée par le Conseil des ministres. Entre-temps, dans les deux pays concernés, nous préparions les producteurs à leur nouvelle forme de culture. Tout allait pour le mieux.

En mars 1996, revenant très optimiste d'une mission au Ghana, je faisais le récit de mes aventures à M. Tilgenkamp. Lorsque j'eus terminé, je lui demandai des nouvelles de la licence. « Malheureusement, nous ne pouvons donner suite », répliqua-t-il. En dernière minute, on avait décidé d'annuler la proposition, alors qu'elle avait déjà été votée. J'étais effondré. Toutes les promesses qui nous avaient été faites étaient annulées. Ce changement de cap était dû à une ordonnance de la commission de l'OMC. Tilgenkamp nous expliqua que le commissaire à l'agriculture, Fischler, avait décidé de donner priorité aux discussions concernant les grandes lignes de la politique agricole et que la commission n'avait pas le temps de se pencher sur les détails.

Le message était clair. Les mesures en faveur du commerce équitable étaient considérées comme un détail par l'Union européenne. À partir d'un réseau de sept pays d'Europe, Euroban, une action cartes postales fut mise en place en 1995, avec le slogan : « Donnez aux bananes équitables une chance équitable. » Le commissaire Fischler reçut au moins trois cent mille cartes, il prononça des paroles réconfortantes, mais le dossier resta clos. Pas de dispense de licence. Rideau !

Lors de notre dernier entretien avec Tilgenkamp, ce dernier, sans la moindre gêne, nous avait conseillé de poursuivre notre projet avec licences. Bruxelles avait semé le chaos, à nous de nous en sortir. Malgré mon aversion, cette idée me tournait dans la tête. Bien sûr Tilgenkamp savait combien ce serait difficile. Je continuais à me poser des questions. Comment savoir quelles entreprises étaient prêtes à vendre des licences ? Était-ce viable sur le plan financier ? Étions-nous assurés de pouvoir obtenir des licences chaque année ? Et la question clé : étions-nous prêts à participer à un système que nous condamnions fermement ?

La situation était complexe. Fallait-il s'entêter ou abandonner ? Nous en étions encore à nous poser ce genre de questions lorsqu'un fax de Tilgenkamp arriva : une liste des compagnies susceptibles de nous vendre des licences. Je passais des heures à tourner ce fax dans tous les sens. Fallait-il tenter le coup ? J'étais incapable de prendre une décision. C'est alors qu'arriva Jeroen Douglas, avec son optimisme habituel. Son point de vue était clair : « Nous pouvons toujours essayer. Il ne coûte rien de prendre contact et de s'informer. On pourra toujours décider plus tard de ne pas donner suite. » Sitôt dit, sitôt fait.

Je me lançais dans un parcours du combattant. J'ai pris l'avion et me suis rendu à Barcelone, puis à Marseille et enfin aux Canaries. Partout je posais la même question. Aux Canaries, je découvrais qu'un bénéficiaire de licence,

M. Fernandez, était membre du Parlement européen. Il portait deux casquettes. Il profitait du système des licences dont il se faisait le fervent défenseur au Parlement.

Au cours de mon périple, j'eus tout loisir d'observer les effets pervers du système. Les importateurs n'avaient aucun scrupule à vendre du vent. Je me souviens de la discussion que j'ai eue avec un P-DG de Marseille. « Nous ne pouvons pas vous vendre de licences, mais aujourd'hui je vais voir mon collègue à Barcelone. Venez donc avec moi. » Je me retrouvais dans son jet particulier et, deux heures plus tard, nous atterrissions à Barcelone. Je garde un très bon souvenir du vol au-dessus de la côte méditerranéenne. Malheureusement, à Barcelone aussi, la réponse fut négative.

Après de nombreux entretiens et de nombreux déplacements, j'arrivai finalement dans une entreprise à Paris, qui se déclarait prête à nous vendre la licence tant espérée. C'est par l'intermédiaire d'un partenaire ghanéen que la firme Agrisol, qui ne figurait d'ailleurs pas sur la liste de Tilgenkamp, nous avait contactés. Cette compagnie importait des bananes de la Guadeloupe et de la Martinique. Le P-DG d'Agrisol était un homme d'un certain âge, cultivé et ouvert d'esprit. Je lui parlai d'AgroFair et de l'évolution de nos projets et à ma grande surprise, il se montra fort intéressé par notre histoire. « C'est le genre d'initiative dont le secteur de la banane a besoin. Nous sommes dans une impasse. Si nous ne passons pas rapidement à une production durable, nous allons à la catastrophe. »

Le directeur d'Agrisol nous promit une licence, à un prix correct et avec l'assurance que nous pouvions compter dessus à long terme. Nous pouvions enfin nous lancer.

UN DÉBUT PROMETTEUR

En novembre 1996, Solidaridad introduisait la banane Oké sur le marché néerlandais. Nous avons commencé par les exportations du Ghana, de l'Équateur et ensuite du Costa Rica. La stratégie d'introduction avait été développée en étroite collaboration avec Max Havelaar. Les débuts furent prometteurs. Ce qui en 1989 avait posé problème, lors du lancement du café équitable, se passait en souplesse aujourd'hui : les supermarchés étaient disposés à intégrer les bananes équitables à leur assortiment. Ce n'était pas seulement le cas des petites chaînes de distribution, mais aussi des grandes comme Albert Heijn, la plus importante du pays. Le degré de distribution atteignit 70 pour cent. Il s'avérait qu'en quelques années le climat avait radicalement changé : les distributeurs, à présent, étaient prêts à vendre les produits équitables. Non seulement les quantités que les supermarchés étaient prêts à écouler, mais également les réactions des consommateurs, en témoignaient.

Dans le port de Rotterdam, l'introduction de la première banane fut accompagnée d'un spectacle de grande envergure. Le célèbre groupe de théâtre Dogtroep accompagnait d'un sketch la présentation de la première banane. Le Premier ministre, Kok, s'étant désisté à la dernière minute, ce fut le secrétaire d'État au commerce extérieur, Mme Dok, qui se vit remettre la première banane, verte et équitable, sous les flashs et les caméras des médias, largement représentés. Le lendemain, la banane Oké faisait la une des journaux.

Dès les premières semaines, les ventes allèrent bon train. AgroFair avait prévu de commercer avec cinq à six mille caisses — environ 5 pour cent du marché — à Noël, les ventes s'élevaient à 14 000 caisses par semaine. Ces résultats allaient bien au-delà de nos espérances. Nous étions dépassés par les événements. Nous ne nous attendions pas à un tel succès. AgroFair ne pouvait faire face et garantir un approvisionnement continu de volumes aussi importants. En janvier et février, il nous fallut céder des parts de marché. C'était une amère déception, nous n'avions pas les moyens de contrôler la situation. Le consommateur se précipitait sur les bananes Oké, les supermarchés se montraient coopératifs, mais AgroFair ne pouvait livrer un produit de qualité en quantité suffisante. Il ne serait pas facile de regagner la confiance perdue.

Un certain nombre de facteurs étaient responsables des problèmes de livraison, dans les premiers temps. Le suivi nécessite plusieurs sources d'approvisionnement de façon à pouvoir compenser si l'une fait défaut. C'est ainsi que procèdent les multinationales. Or, AgroFair n'avait que deux pays producteurs : le Ghana et l'Équateur. Nous pensions que nous aurions du mal à écouler les produits de davantage de pays. L'importance des volumes joue un grand rôle dans le commerce des bananes. La logistique exige une quantité minimum pour que l'opération soit rentable. Selon notre planning, le Costa Rica et la République dominicaine ne nous livreraient des bananes qu'à plus long terme, mais finalement, nous avions besoin de leurs volumes dans l'immédiat. Malheureusement, sur place, on n'était pas encore tout à fait prêt à livrer.

À cela s'ajoutèrent des difficultés inattendues chez les producteurs du Ghana. Des problèmes de management et une longue période de sécheresse firent considérablement baisser le volume des livraisons, pendant le premier trimestre de 1997. Les choses allèrent de mal en pis dans les années qui suivirent. Les plantations durent affronter trois grosses tempêtes, qui chacune détruisit 35 pour cent de la production. Ces difficultés signifiaient que l'Équateur devenait notre principal fournisseur. Dans la province El

Guabo, des producteurs de petites et moyennes plantations s'étaient associés et ne demandaient pas mieux que de nous vendre leurs produits. C'est alors que surgirent les problèmes de logistique : le transport de l'Équateur par Machala vers l'Europe était problématique. AgroFair ne pouvait importer les bananes directement. Il nous fallut nous associer à l'importateur allemand T-Port, qui transporta nos bananes par bateaux charters jusqu'à Hambourg.

Dans le port, l'hiver rigoureux de 1997 entraîna de nouvelles difficultés. Le transport était perturbé à cause des intempéries et les bananes passaient parfois une demi-journée dans des containers dont la température était bien au-dessous de zéro. Les fruits souffraient du froid et le gel empêchait leur maturation. Les bananes arrivaient dans un état lamentable et face aux beaux fruits de la concurrence, elles n'avaient plus aucune chance. Nos parts de marché furent réduites de moitié. Elles atteignaient 5 pour cent. C'était le volume que nous avions prévu à l'origine, et que nous avions les moyens d'assurer. C'était une maigre consolation.

NOS CARGOS IMMOBILISÉS DANS LE CANAL DE PANAMA

La croissance rapide de nos parts de marché nous créait des problèmes à un autre niveau. Les concurrents voyaient d'un mauvais œil le succès des bananes Oké et ils n'avaient pas l'intention de se laisser faire. Les grandes compagnies se mirent à brader littéralement leurs stocks. En proposant de fortes réductions sur de grandes quantités, Chiquita et Dole défendaient leur territoire. Elles appâtaient les distributeurs afin de maintenir le niveau des ventes. La lutte des prix représentait pour nous une difficulté supplémentaire, mais elle faisait partie de la règle du jeu.

Ce n'est qu'au printemps 1997 que je commençai à m'inquiéter sérieusement. De nouvelles difficultés surgissaient sur un autre front. L'un des cargos en provenance de l'Équateur venait d'être intercepté par la douane dans le canal de Panama. Il fut immobilisé pendant deux jours « pour contrôle des papiers ». Lorsque, dans les semaines qui suivirent, le même phénomène se reproduisit deux fois de suite, nous avons commencé à avoir des soupçons. Il est extrêmement rare qu'un navire soit arrêté si longtemps par la douane. Tout le monde sait que le moindre retard peut coûter des milliers de dollars à la compagnie. Le zèle soudain des douanes ne pouvait être dû au hasard.

Aucun doute, on avait graissé la patte aux fonctionnaires. Ces pratiques étaient le résultat d'un puissant lobby. Il était facile, par ce genre de pratiques, de mettre des bâtons dans les roues au concurrent. Non seulement un retard est très coûteux, mais il menace le suivi de l'approvisionnement. C'était pour nous une véritable catastrophe.

Après plusieurs de ces incidents successifs, l'armateur commença, lui aussi, à avoir des doutes. Depuis des années qu'il faisait ce trajet, il n'avait jamais eu le moindre problème. Nos bananes ne représentaient que 5 000 caisses sur les 140 000 de sa cargaison. Pourquoi s'attirer des ennuis pour une si petite quantité ? Du coup, AgroFair eut toutes les peines du monde à trouver un armateur.

Une fois intercepté, il faut un certain temps à un cargo pour reprendre la route. AgroFair avait de plus en plus de mal à livrer ses fruits dans les délais. C'est par la voie diplomatique que nous avons fini par débloquer la situation. Grâce à des pressions politiques, les douaniers ont reçu d'autres instructions et dès lors, ont laissé nos navires en paix. Qui était à l'origine de nos problèmes ? Nous ne le saurons sans doute jamais.

UN INCIDENT MACABRE

Peu de temps après, nous fûmes confrontés à un nouvel incident. Une nuit, près de Cuba, le cargo qui transportait nos bananes fut endommagé par un câble en acier : l'hélice était fendue et le navire ingouvernable. Après avoir erré pendant deux jours dans la mer des Caraïbes, il fut remorqué jusqu'au port de Houston. La cargaison fut débarquée et vendue à perte. Cette semaine-là, privée de l'approvisionnement de l'Équateur, AgroFair dut affronter le mécontentement des distributeurs.

L'origine de l'incident reste une énigme. Les documents officiels mentionnent tout simplement que le cargo a heurté un câble, or pour les techniciens cela ne suffisait pas à expliquer la rupture de l'hélice. D'après eux, pour la briser, il fallait que ce dernier soit tendu. Si on en croit leur conclusion, il s'agissait bel et bien d'un acte de sabotage.

Le scénario le plus plausible était le suivant : deux barques de pêcheurs auxquelles était fixé le câble ont attendu que notre cargo se trouve au-dessus, en naviguant alors chacune en sens opposé, elles l'auront tendu, suffisamment pour que l'hélice se brise.

Je ne suis pas près d'oublier le soir où je reçus le rapport des techniciens confirmant la version d'un acte délibéré. J'ai passé la nuit au bureau à me demander que faire. L'armateur faisait pression sur nous pour que l'assurance n'en sache rien, car dans le cas d'un sabotage, les frais ne seraient pas remboursés. L'addition s'élevait à quelques millions de dollars, ce serait la fin de notre collaboration.

Que faire ? Nous aurions bien aimé dévoiler l'affaire au grand jour. Elle montrait que dans ce monde-là on ne recule devant rien et apparemment, le commerce équitable en embêtait plus d'un. Cependant, nous n'avions aucune preuve. Comment savoir quels bateaux de pêcheurs étaient en cause et qui avait commandité l'affaire ? De plus, la somme en jeu était de taille et l'armateur tenait à ce que nous nous taisions. Finalement, nous avons décidé d'enterrer cette histoire. Les papiers ont été remplis en « bonne et due forme » et l'armateur a été remboursé.

Pour AgroFair, ces épreuves successives avaient des conséquences désastreuses. Nous venions de perdre beaucoup de notre crédibilité auprès des distributeurs. La campagne de lancement avait été un succès et il avait suffi de quelques mois pour perdre la confiance que nous avions su inspirer. Nous n'y étions pour rien, mais les supermarchés n'avaient que faire des raisons de nos déboires. On juge une entreprise sur ses résultats et ceux d'AgroFair, malgré un début prometteur, étaient bien en deçà de ce qu'on pouvait en attendre.

Nous nous voyions confrontés à la dure réalité : le suivi et la qualité sont les conditions absolues du succès d'une entreprise. Aujourd'hui, quatre ans plus tard, Agro-Fair travaille avec six groupes de producteurs de différents pays. Les risques sont ainsi limités et nous sommes plus aptes à faire face aux difficultés. Il n'en reste pas moins vrai que les parts de marché perdues ne sont pas faciles à récupérer.

Après 1997, durant les mois qui ont suivi cette année mémorable, le trajet Équateur-Pays-Bas a continué à être problématique. Nous avions du mal à trouver des armateurs. Il est arrivé que pendant des semaines, on ne trouve pas à embarquer. Heureusement, entre-temps la livraison du Costa Rica était réglée, garantissant l'approvisionnement des supermarchés.

À présent, les péripéties du début appartiennent au passé et les transports en provenance de l'Équateur font partie des plus fiables. En automne 2000, AgroFair, avec trois autres compagnies, a signé un contrat d'expédition par bateau. Nous décidons de l'itinéraire du cargo, des horaires et de la fréquence des embarcations. L'amélioration des conditions de transport se répercute sur la qualité des fruits.

Ces faits montrent à quel point le transport est important. La position de force des multinationales Dole et Chiquita n'est due qu'en partie à la place qu'elles occupent dans la production : elles ne produisent que 40 à 60 pour cent de leurs fruits. Celle qu'elles occupent dans le transport est tout aussi importante. Comme elles règnent également sur les ports, les petits producteurs se voient obligés de leur vendre leurs fruits.

Toute la logistique est entre leurs mains, du début à la fin : elles s'occupent de l'emballage, de l'étiquetage, elles procurent aux cultivateurs les engrais chimiques et les pesticides, elles contrôlent les transports locaux, règlent les démarches administratives et les opérations bancaires. Elles sont également présentes à l'arrivée, dans les ports européens. Pour AgroFair, cette situation était problématique. Je me rappelais souvent l'entretien que j'avais eu avec Gert van Maanen, le directeur de Oikocredit, une banque œcuménique de développement. Je lui avais demandé à l'époque de participer au financement des investissements de la compagnie, comme sa banque l'avait fait pour des coopératives de café Max Havelaar. Van Maanen nous refusa son soutien, selon lui, notre projet n'avait aucune chance.

Van Maanen avait lui-même travaillé pour Nedlloyd, l'une des plus grandes entreprises de transport maritime mondial. Il était bien placé pour savoir ce qu'il en était du monde des armateurs. Il nous a mis en garde et nous a conseillé d'abandonner notre projet de bananes Oké.

J'avais pris note, mais je n'avais pas abandonné. Cependant, à chaque difficulté, ses paroles me revenaient. Aurais-je mieux fait de l'écouter ? Finalement, non.

ENCORE UNE FOIS, DES DIRECTIVES INSENSÉES DE L'UNION EURO-PÉENNE

Du côté de la législation européenne, la partie n'était pas gagnée non plus. Bruxelles avait changé de cap plusieurs fois. Après chaque condamnation de l'OMC, Bruxelles votait toute une série de nouveaux amendements. Solidaridad tentait alors de réclamer des mesures en faveur des bananes alternatives.

L'une des mesures de rajustement s'appliquait à la réglementation pour les nouveaux venus sur le marché. Cette réforme profitait à AgroFair. Datant de 1996, il s'agissait, en effet, d'un nouveau venu, mais le règlement ne s'appliquait pas à nous, car AgroFair ne correspondait pas à la définition donnée par Bruxelles. Il fallait que l'entreprise ait déjà fait le commerce de fruits tropicaux. Après un lobby intensif, Solidaridad réussit à ce que les critères soient modifiés. Il suffirait dorénavant d'avoir négocié un autre produit, le café par exemple. Nous avons également obtenu que plusieurs entreprises puissent demander ensemble une licence.

Ces nouveaux critères n'avaient aucun sens. L'assouplissement des règles n'était dû qu'à la mauvaise conscience des fonctionnaires de l'Union européenne qui, après coup, réalisaient à quel point la façon dont le commerce équitable avait été traité, était scandaleuse.

Ne pouvant modifier tout le système, on rectifiait dans la marge. Le volume autorisé aux nouveaux passa de 45 tonnes à 257 ; volume encore bien insuffisant pour une opération rentable.

Malgré tout, AgroFair sauta sur l'occasion pour tenter d'obtenir directement des licences. Nous avons pris contact avec les organisations de commerce équitable faisant le commerce du café et avec quelques torréfacteurs Max Havelaar. D'après la nouvelle réglementation, ces derniers pouvaient, en tant qu'importateurs de café, obtenir une licence pour les bananes. En s'associant à AgroFair, ils purent l'obtenir. AgroFair profitait maintenant des contacts de Solidaridad dans le secteur du café.

Nous avons établi tout un réseau de négociants en fruits, qui demandaient des licences pour les nouveaux venus et en faisaient profiter AgroFair. Finalement, grâce à une vingtaine de combinaisons différentes, nous avons obtenu suffisamment de licences. Nous pouvions importer sept mille tonnes de bananes par an, garantissant ainsi le suivi de l'approvisionnement d'AgroFair. Cette procédure demandait énormément de travail, de plus, bien que tout à fait légale, elle n'en était pas moins absurde. Le dernier acte dans la tragédie de Bruxelles fut la réforme du règlement, le 1er juillet 2001.

Au printemps 2000, l'Union européenne fut rappelée à l'ordre pour la quatrième fois par l'OMC. La politique de la banane était déstabilisante pour le marché, elle devait être revue de façon à être en accord avec les directives de l'Organisation mondiale du commerce. À Bruxelles, tout le monde était d'accord sur la nécessité de rouvrir le dossier bananes, de se pencher sérieusement sur la question et de tenter de mettre fin au conflit commercial avec les États-Unis. Au cœur du débat était l'attribution des licences, la lutte pour les parts de marché. Bruxelles tendait vers l'abandon du critère d'ancienneté. Cependant, la politique choisit : « premier venu, premier servi », un système ouvrant à toutes les entreprises la possibilité d'obtenir des licences. Les compagnies obtiendraient les licences en fonction du volume déclaré. Ce nouveau système mettait pour la première fois AgroFair au même plan que les autres compagnies. Pendant des mois, on se réjouit de ce système plus conforme au marché, AgroFair se préparait à l'opportunité d'augmenter ses parts de marché. Et puis, surprise ! En dernière minute, les nouvelles mesures furent mises aux oubliettes et on ressortit le vieux principe fondé sur les activités antérieures de la compagnie. Le lobby Chiquita l'emportait. En 2001, le nouveau gouvernement des États-Unis était entré en fonction. Dès lors, la compagnie pouvait compter sur le soutien inconditionnel du nouveau président, Bush, dont elle avait en grande partie financé la campagne électorale. Chiquita plaidait officiellement pour le marché libre, mais exerçait des pressions pour s'approprier davantage de licences. La période de référence permettant de les obtenir fut, comme par hasard, 1994-1996, période pendant laquelle la part de marché de la firme n'avait pas encore souffert des effets néfastes de l'ancien système. La part de marché européenne s'élève, au premier semestre 2001, à 26 pour cent, mais pourra doubler au cours du deuxième. Si Chiquita obtenait 20 millions de licences dans le cadre de l'ancien système, grâce au nouveau, ce chiffre passe à 42 millions. Cette expansion se fait en grande partie au détriment de Dole, dont le droit de licences régresse de 22 à 14 millions.

AgroFair, ayant démarré en novembre 1996, n'a pas accumulé de volume de référence et n'est donc pas reconnue comme « acteur commercial traditionnel », bien que la compagnie intervienne depuis cinq ans sur le marché. Les multinationales installées de longue date se partagent la part du lion, 83 pour cent. AgroFair, encore une fois, devra se contenter des miettes. La redistribution des parts de marché à Chiquita témoigne de la faillite de la politique européenne dans ce secteur. Elle illustre les écueils dans

lesquels risque de tomber la politique économique si elle
sert les intérêts des entreprises nationales. Elle reste
controversée et sensible aux intérêts privés. Entre-temps,
la durabilité du secteur n'a pas avancé d'un pas. C'est sur
ce terrain que les gouvernements ont un rôle à jouer. Imposer une réglementation environnementale et encourager le
secteur de la banane à passer à une production respectueuse des facteurs humains.

Le nouveau système réserve 17 pour cent des licences
aux acteurs commerciaux « non traditionnels ». AgroFair
en fait partie. Elle devra partager le nombre limité de
licences avec de nombreuses entreprises qui n'ont pas l'intention de se lancer dans le commerce de la banane, et ne
demandent des licences que pour les revendre. L'Union
européenne vient donc de remettre en place le marché
lucratif des bananes. Un marché qui ne sert aucun but
social ou économique, qui n'est qu'un moyen pour
hommes d'affaires habiles de s'enrichir rapidement — le
côté noir de la politique — et c'est finalement le consommateur qui paie l'addition sans qu'aucun producteur n'en
profite. C'est dans ce décor kafkaïen que des compagnies
comme AgroFair, mais aussi Savid, qui a encouragé la production biologique des bananes en République dominicaine, tentent de développer un marché pour une
production durable.

Grâce à trois constructions complexes avec d'autres
entreprises et des dizaines de millions d'euros de garantie
bancaire, AgroFair a réussi un véritable tour de force pour
obtenir le plus de licences possible. Les aléas de la politique européenne n'ont pas réussi à chasser AgroFair du
marché. Certes, l'augmentation des importations est frei-
née par le manque de licences. Il faudra attendre patiem-
ment 2006, pour que le système des licences et la
limitation des volumes soient revus et, espérons-le, sup-
primés.

LE SUCCÈS GRANDISSANT DE LA BANANE EN EUROPE

En 1997, peu de temps après son entrée sur le marché néerlandais, la banane Oké fut introduite en Suisse. Comme la Suisse n'est pas membre de l'Union européenne, elle n'est pas confrontée aux contraintes politiques. La Suisse connaissait la taxe d'importation, mais pas de quota, ni de licences. L'entrée de la banane sur le marché suisse remporta un succès fulgurant. AgroFair avait dépassé le stade des maladies infantiles. Elle était capable de garantir le suivi de l'approvisionnement et de livrer un produit de qualité. Coop, chaîne de supermarchés, achetait depuis plusieurs mois à AgroFair des bananes en provenance de l'Équateur, pour permettre à la compagnie de résoudre les problèmes de mise en route. Lorsque la machine fut bien huilée, les bananes reçurent le label « marché équitable ».

L'esprit de coopération dont a fait preuve la direction est exceptionnel dans cette branche. La chaîne de distribution propose des solutions et l'acheteur rend visite aux producteurs pour discuter des spécificités du produit. Dans les magasins, on fait une place de choix aux produits du commerce équitable et la banane équitable est vendue au même prix que les autres. L'exemple de Coop se répercute sur les autres distributeurs. Migros, autre grande chaîne de distribution, est entraînée dans son sillage. Par conséquent, en Suisse, la part de marché de la banane équitable est de 15 pour cent. Coop aspire à 30 pour cent. Ce pourcentage est unique et loin d'être accessible aux autres pays d'Europe.

Après la Suisse, d'autres pays ont suivi. Les bananes Oké ont été introduites en Belgique et au Danemark, ensuite en Angleterre, en Italie, en Norvège, en Finlande, en Irlande et en Autriche. La compagnie AgroFair, néerlandaise à l'origine, est devenue une véritable multinationale. Le marketing est décentralisé et des filiales ont été ouvertes dans cinq pays d'Europe. En opérant près du marché, l'entreprise est en mesure de proposer un service performant et de s'entourer d'une équipe connaissant bien le marché local.

L'achat des fruits se fait cependant à la maison-mère d'AgroFair, aux Pays-Bas, ce qui permet de garder les avantages liés à l'échelle du trajet : producteur à l'embarquement. La structure de marketing décentralisé et d'achat centralisé est coordonnée par la société-mère : AgroFair Europe. Les producteurs et les organisations de développement se rencontrent régulièrement pour définir la politique de la compagnie.

UN ÉCHEC COMPLET

L'Allemagne est le point noir dans le marché équitable européen. L'introduction des bananes en 1998 y a été un échec complet. Dans la phase de préparation, l'organisation de labellisation TransFair avait demandé à AgroFair d'introduire les bananes Oké sur le marché allemand. AgroFair avait réagi avec une certaine réticence, bien que le marché allemand, ne serait-ce que par sa taille, n'ait pas manqué d'attrait. L'Allemagne, à elle seule, pouvait écouler 30 000 à 50 000 caisses de bananes Oké et Eko-Oké par semaine, ce qui représentait le double du chiffre d'affaires. Pour un tel volume, AgroFair ne disposait pas du nombre nécessaire de licences. Elle conseilla donc à l'organisation allemande de patienter jusqu'à ce que la situation politique soit plus propice.

Structure d'AgroFair

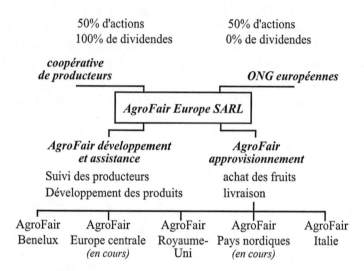

TransFair, déçue, se tourna alors vers T-Port, importateur bananier établi à Hambourg. T-Port donna une toute autre version de la situation. Le problème des licences pouvait se résoudre facilement. TransFair décida alors de lancer les bananes équitables en collaboration avec la firme T-Port. On adopta le nom de Fairnandes et T-Port réussit à obtenir le certificat du commerce équitable pour son producteur en Équateur.

Il était risqué de se lancer sur une base d'approvisionnement aussi étroite. T-Port tenta le coup. Très vite, le suivi de l'approvisionnement ne put être assuré à cause de problèmes de qualité et de logistique. AgroFair avait été confrontée aux mêmes problèmes, mais en travaillant avec plusieurs producteurs, elle a toujours pu garantir un minimun d'approvisionnement. T-Port était en rupture de stocks et au bout de trois semaines, l'entreprise avait perdu tout crédit auprès des supermarchés allemands. C'en était fini de la banane équitable en Allemagne.

Cet exemple illustre bien les conséquences d'une démarche non professionnelle. Le potentiel du marché équitable est inutilisé, alors que le succès aurait permis à des milliers de paysans d'avoir des revenus décents. Il est regrettable que TransFair n'ait pas fait le bilan de cet échec. Les responsables n'ont pas eu à répondre de leurs actes, alors qu'ils avaient fait beaucoup de torts au marché équitable européen.

UNE COUPE ENTIÈRE DE FRUITS ÉQUITABLES

En 2000, en collaboration avec l'organisation protestante de financements ICCO, Solidaridad a pris l'initiative d'examiner les possibilités d'élargir le marché équitable en y introduisant d'autres fruits comme les mangues, les agrumes et les ananas. Nous avons cherché des contacts avec des producteurs en Afrique du Sud, au Maroc, au Burkina Faso, au Ghana, au Brésil, au Mexique, en Équateur et au Costa Rica. Dès 2002, le fruit équitable des tropiques va être lancé dans les pays européens, sans cesse plus nombreux.

Au cours des années à venir, les fruits biologiques vont occuper une place de plus en plus importante dans l'assortiment d'AgroFair, qui propose non seulement les produits Oké, mais aussi les produits Eko-Oké. Les bananes biologiques seront importées d'Équateur, de Colombie et de République dominicaine. Un certain nombre de producteurs de bananes Oké va se convertir à la culture biologique.

LA RÉACTION DE CHIQUITA ET DOLE

L'intrusion de la banane équitable et biologique n'est pas passée inaperçue dans le secteur. À présent, les grandes multinationales se sentent obligées de réagir à la tendance vers une production durable. Chez Dole, on investit dans la production de bananes biologiques, entre autres en Équateur et au Honduras. On aspire, pour la production traditionnelle, à produire selon les normes du SAI, *Social Accountability International*, un code international social pour les entreprises. SAI n'encourage pas seulement l'amélioration des normes sociales, mais tente également de définir des critères environnementaux dans le cadre de la culture intégrée.

Chiquita a développé un programme *better banana program,* des bananes meilleures, qui vise, lui aussi, à intégrer des critères sociaux et environnementaux. Cette évolution est encourageante. Le commerce équitable ne doit pas se confiner dans sa propre « niche », son modèle doit rayonner sur le commerce traditionnel. Il doit pousser les grandes entreprises comme Douwe Egberts, Chiquita, Nike et Levi's à aller dans le sens de la production sociale et écologique.

Le commerce équitable est un moyen de pression puisqu'il exprime la demande de transparence et de production durable du consommateur responsable. Pour les entreprises, le nerf de la guerre sont les parts de marché, garantes de profit et de continuité. Les exigences du consommateur se répercutent sur le chiffre d'affaires, et les entreprises traditionnelles sont obligées d'en tenir compte. Si les parts de marché du commerce équitable sont significatives, elles entraîneront automatiquement un changement de cap dans tout le secteur. Dans l'économie de la banane, les premières répercussions de ce changement se font d'ores et déjà sentir.

Pour une transformation radicale, il faudra qu'augmente la pression sociale. Le scénario de la durabilité sur lequel misent les grandes compagnies demande à être suivi de près. Vont-elles se limiter à un premier pas dans ce sens, pour sauver la façade, où s'agit-il d'un changement de cap réel ? Il est facile de créer la plantation idéale et de s'en servir comme carte de visite. Cependant, une réelle politique de durabilité implique un changement de cap dans la politique de production d'une compagnie.

Le programme de Chiquita pour la « meilleure banane » présente bien. Les critères auxquels doit répondre la production sont décrits en détail et représentent un plan de réaménagement impressionnant. La meilleure manière de juger de sa portée est d'étudier les investissements prévus pour le réaliser. Il s'avère que ces derniers restent limités. Le prix de revient d'une caisse de banane ne doit pas dépasser les 5 dollars, m'ont affirmé les responsables, au Costa Rica. Cela signifie que le coût des bananes ne devra pas excéder une augmentation de 0,5 centime d'euro le kilo. Pour ce prix, il est impossible de produire une banane respectant les critères de durabilité. Les investissements réalisés par Max Havelaar s'élèvent à 12 centimes minimum le kilo. Cette augmentation limitée nous oblige à poser des priorités, et ce n'est qu'à long terme que les normes de durabilité pourront être remplies. Chiquita est loin de faire les investissements nécessaires. Cependant, ce changement, si petit soit-il, représente tout de même un pas décisif. Jusqu'à présent, chez Chiquita, on s'en était toujours tenu au principe suivant : les innovations ne doivent pas entraîner de hausse du prix de revient. Ce principe vient d'être abandonné.

Il est tentant de développer des codes de conduite simples et des programmes bon marché. Les organismes de labellisation peu exigeants proposent aux compagnies des instruments faciles, ne servant que le marketing. Or, ce n'est pas l'image de la pratique, mais la pratique elle-même qui devra changer. En ce sens, nous n'en sommes qu'au début.

KUYICHI : UN NOUVEAU MODÈLE DANS L'INDUSTRIE DE L'HABILLEMENT

En 1998, l'initiative Max Havelaar datait de dix ans · le moment de regarder en arrière et de dresser avec les collaborateurs de la première heure les plans pour les dix années à venir.

Les cultivateurs de café des coopératives les plus importantes de la région étaient là, Isaías, Frans, Julita, Rosita, Hernan et beaucoup d'autres amis. Les conversations étaient animées et l'ambiance à l'optimisme. Nous sommes revenus sur la fondation d'UCIRI, en 1983, qui fut à l'origine de Max Havelaar, et sur le modèle d'organisation qui a suivi.

ÉVALUATION À MI-PARCOURS

Nous étions d'accord : tout ou presque de ce qui pouvait être réalisé avec le café l'avait été. Nous avons passé les résultats en revue un par un.

La coopérative réunissait aujourd'hui 53 communautés indiennes, avec comme noyau actif 3 000 cultivateurs de café. L'organisation est démocratique, hommes et femmes y participent activement. La coopérative s'est dotée de sa propre infrastructure : l'unité de nettoyage du café, *beneficio,* avec entrepôt. Le café destiné à la consommation locale, ainsi que celui de premières exportations à petite échelle, est torréfié dans notre propre brûlerie. Les camions et autobus de la coopérative assurent le transport.

La transition à la culture biologique du café est maintenant terminée. L'amélioration apportée au cadre de vie tant des hommes que des bêtes est très nette. Elle a aussi bien profité aux caféiers. Les soins intensifs ont pour contrepartie une récolte annuelle par plant qui est passée de 1,5 kilo à 3,5 kilos. Contre toute attente, la productivité a augmenté. La qualité du café est nettement meilleure et les torréfacteurs le considèrent comme l'aromatisant de leurs mélanges. UCIRI est en mesure d'écouler la totalité de sa production dans le cadre du commerce équitable. Le produit est très demandé.

L'alimentation dans les villages s'est, elle aussi, fortement améliorée. La faim a disparu. Les cultivateurs ont des jardins potagers et la culture du maïs assure la matière première pour la tortilla quotidienne, ainsi que la nourriture des poules et des cochons. Plus d'un villageois peut désormais se permettre de la viande une fois par semaine. Le café a été le moteur d'un développement agricole plus large, avec, comme nouveaux produits d'exportation, la confiture et le miel. Le revenu annuel moyen d'un cultivateur d'UCIRI est passé de 210 dollars en 1982 à 730 dollars en 2001. Certes, une forte augmentation du niveau de vie, qui reste néanmoins très modeste. Il est quelque peu complété par les légumes et le bétail des villageois. L'économie de troc locale qui s'est mise en place porte également ses fruits. Comme toujours, la pauvreté pousse à la créativité, mais la vie dans les régions montagneuses isolées du sud du Mexique reste rude.

Nous avons également constaté que dans l'État d'Oaxaca certains changements s'étaient opérés au niveau des rapports politiques et sociaux. Le rôle d'UCIRI ne pouvait être ignoré plus longtemps. La coopérative était en état de négocier l'allocation de moyens gouvernementaux dans la région avec l'administration fédérale et, bien qu'il faille toujours se battre pour obtenir des résultats, un changement se dessinait. Nous espérions voir disparaître le pouvoir ancestral du PRI dans un avenir proche. Cela représenterait un réel tournant. Depuis, la situation politique a effectivement changé avec l'entrée en fonction du premier président élu démocratiquement depuis des temps immémoriaux, le président Fox.

Après avoir brossé ce tableau des acquis, le silence tomba et l'atmosphère, curieusement, devint quelque peu oppressante. Si le potentiel du café avait été exploité à fond, d'autres problèmes n'étaient pas résolus pour autant. Celui de l'exode rural, par exemple. Les jeunes quittent les villages pour la ville de la région ou même pour la capitale. À la recherche des rares emplois, ils atterrissent dans les *zonas-francas*, les zones exonérées d'impôts où sont établies les grosses usines de montage. Ce sont en majorité des usines textiles et du cuir, mais aussi des *maquilas* où sont assemblés les ordinateurs et les appareils ménagers. La conclusion était incontournable : le secteur agricole ne génère pas suffisamment d'emplois. Pour garder leur vitalité et leur viabilité, il fallait que les communautés rurales trouvent une forme d'industrialisation adaptée, une production industrielle à petite échelle permettant de créer des emplois et de compléter les revenus dérivés du café.

UN ATELIER DE COUTURE

Le temps était venu de faire de nouveaux projets. L'enthousiasme regagna la salle. Pour quelques instants l'imagination fut au pouvoir. Les suggestions fusaient de tous les côtés. UCIRI devait prendre en main le développement d'emplois industriels dans la région. Il fallait faire halte au dépeuplement des régions montagneuses. Si les jeunes pouvaient trouver du travail sur place, les familles resteraient unies et la cohérence culturelle serait maintenue. Le secteur du café n'offrait pas de travail à tous pendant toute l'année, mais une main-d'œuvre d'appoint était indispensable au moment de la récolte. La solution serait de pouvoir mobiliser les jeunes au moment voulu — ce qui n'était possible que s'ils vivaient dans les environs.

À ce point de la discussion, la voix des femmes d'UCIRI se fit clairement entendre. Les hommes assumant traditionnellement la plus grosse partie du travail dans les plantations de café, le développement industriel serait surtout important pour les jeunes. Au cours des dernières années, les femmes indiennes avaient été nombreuses à partir pour les grandes villes afin de compléter le maigre revenu familial. Nombre d'entre elles avait trouvé un travail chichement rémunéré dans les grosses fabriques textiles, à des centaines, si ce n'est des milliers de kilomètres de leur terre natale — à Mexico et dans les zones franches le long de la frontière avec les États-Unis. La distance ne laissait pas d'autre alternative aux femmes que de déménager, et d'abandonner leurs tâches et leurs responsabilités familiales. Les familles se disloquaient et les enfants étaient livrés à eux-mêmes.

C'était pour toutes ces raisons que les femmes d'UCIRI prônaient une organisation différente de l'emploi industriel, qui permettrait de combiner les tâches au foyer et à l'extérieur. Les femmes indiennes s'occupent depuis toujours non seulement du ménage et des enfants, mais aussi du potager, source de nourriture de première importance pour leur famille. Afin de pouvoir continuer à assumer ces tâches, elles proposèrent d'instaurer, dans la future usine, des journées de travail plus courtes. Une journée de travail de quatre à six heures leur laisserait suffisamment de temps pour s'occuper des enfants, de la maison et du jardin.

La notion de travail à temps partiel était révolutionnaire. Elle n'est certainement pas négociable dans l'industrie traditionnelle, où on travaille six jours par semaine, douze à quatorze heures par jour, dans des espaces étouffants et bruyants. Les salaires sont bas et les couvertures sociales comme les congés maladie ou de maternité avec maintien du salaire sont totalement inexistantes. Nous avons décidé que les intérêts des femmes seraient explicitement pris en compte dans nos projets de développement industriel. Il fallait créer une forme d'industrie où la production serait réalisée dans des conditions humaines pour un salaire décent.

La question suivante était : quel produit se prêterait le mieux à nos projets ? Le débat fut animé, les suggestions fusant de tous côtés. Il était clair que toutes les formes de développement industriel n'étaient pas adaptées à la région montagneuse où les cultivateurs de café avaient leur petite exploitation. Un atelier de confection semblait la meilleure solution. La population avait déjà une certaine expérience de la confection textile. De plus, la confection de vêtements pour le marché local pouvait être combinée à une production pour le marché international. L'industrie de l'habillement étant fortement internationalisée, l'exportation était une réelle option. Automatiquement, les regards se tournèrent vers moi. Solidaridad pouvait-elle se charger de trouver des exportateurs proposant des conditions équitables ?

Pour les cultivateurs de café d'UCIRI, la question de l'environnement était primordiale. « Si nous confectionnons des vêtements, que ce soit de préférence avec du coton écologique », ont-ils déclaré. Le coton est, avec les bananes, l'un des produits agricoles les plus polluants du tiers-monde. Plus de 18 pour cent des pesticides employés à l'échelle mondiale le sont pour la culture du coton. La seconde question à mon adresse ne s'est pas fait attendre. Solidaridad pouvait-elle se charger de fournir une matière première écologique aux ateliers de couture ?

Je me suis rendu aux Pays-Bas avec ces deux questions. Nous étions bien d'accord. UCIRI créerait un atelier de couture et exploiterait avec la coopérative voisine CEPCO une laverie et une teinturerie. Les trois premières années, la production serait uniquement destinée au marché local. Cette période permettrait aux ouvrières d'apprendre sur place les cordes du métier et d'acquérir les compétences permettant de répondre aux critères de qualité du marché international. Dans un même temps, Solidaridad mènerait une campagne de sensibilisation sur les injustices criantes dans l'industrie de l'habillement. Objectif : produire en 2001 une collection de vêtements équitables basée sur une confection parfaite par des ateliers de couture d'Amérique latine, et développer un solide plan de distribution aux Pays-Bas.

UN COTON ÉCOLOGIQUE

En quelques mois, nous avons finalisé nos plans. La structure de partenariat de Solidaridad a fourni un bon point de départ pour la mise en œuvre d'une production biologique du coton. La vallée de Cañete au Pérou offrait de bonnes conditions pour se convertir à cette culture biologique, de plus un groupe de cultivateurs de coton était intéressé par le projet. Située à 150 kilomètres au sud de la capitale Lima, la culture du coton y est plus que centenaire. Fermín Tanguïs avait développé en 1912 spécialement pour le terrain sec de la vallée de Cañete une superbe variété de coton d'une blancheur éclatante qui, aujourd'hui, porte son nom. Le coton Tanguïs à fibres longues se prête tant au filage de fils grossiers pour le denim ou jean qu'à celui de fils beaucoup plus fins pour des sweatshirts, T-shirts et polos en coton satiné. Les agriculteurs de Cañete s'étaient rendu compte au début des années 90 que leur coton ne nécessitait que quelques modifications relativement simples pour être cultivé selon une méthode totalement écologique. « L'amélioration majeure est un produit antimite naturel, déclara Franklin Suàrez, expert du coton de Valle Grande. Les larves de mites dévastent les boules de coton. La récolte approche ; pour empêcher les mites d'attaquer, nous utilisons des phéromones, produites dans notre propre laboratoire. Les phéromones répandent des odeurs sexuelles qui font croire aux mites mâles qu'ils sont entourés de femelles consentantes. Complètement affolés, ils sont incapables de trouver les vraies femelles. »

La seconde modification fut le remplacement des engrais chimiques par une mixture de déjections de poules et de guano, un amas de déjection d'oiseaux marins. « À mon avis, les plants de coton apprécient fortement cet engrais. La plante se fortifie et les feuilles deviennent plus coriaces, donnant moins d'emprise aux chenilles et aux coléoptères », expliqua Franklin Suàrez. Ce dernier dirigeait au nom de Valle Grande le projet de transition d'une culture traditionnelle à une culture biologique. Il travaillait avec 280 cultivateurs indépendants à la préparation de 194 hectares de coton certifié biologique, qui serait utilisé pour la collection de vêtements équitables de Solidaridad. Depuis, certains cultivateurs ont déjà été certifiés par l'organisme d'homologation néerlandais SKAL — connu pour le label EKO, d'autres sont en passe de devenir des cultivateurs écologiques.

**Programme pour la transition
à une culture biologique de 144 ha de coton produits
« chimiquement ». Oro blanco, vallée de Cañete, Pérou**

période de transition	*2000*	*2001*	*2002*	*2003*	*2004*
plantes exemptes de résidus	94 ha	128 ha	144 ha	144 ha	144 ha
sol exempt de résidus	-	94 ha	128 ha	144 ha	144 ha
certifié EKO	-	-	94 ha	128 ha	144 ha

Des pays comme l'Inde, la Chine, l'Ouzbékistan, l'Égypte et les États-Unis cultivent le coton à grande échelle. Avec 24 000 tonnes de pulvérisations par an — destinées à une surface de culture de 5 millions d'hectares — les États-Unis sont les plus gros consommateurs de pesticides toxiques. Les produits chimiques les plus utilisés sont les pyrèthroïdes et les organophosphates. L'Organisation mondiale de la santé a classé ces produits comme « dangereux à très dangereux » pour la santé publique. En outre, l'usage excessif de pesticides affaiblit la fertilité des sols et porte atteinte — du fait de l'érosion et du déversement des eaux — à la qualité de l'eau potable et des écosystèmes en général.

Quels que soient les avantages d'une culture biologique pour l'environnement, un meilleur prix reste le souci majeur des paysans démunis de Cañete. À juste titre :

69 pour cent des habitants de la vallée vivent au-dessous du seuil de pauvreté et l'accès à l'éducation, aux soins et autres facilités, comme l'eau potable, est limité. Les paysans ont donc décidé de créer leur propre société d'exportation, Oro Blanco. Ils en sont co-propriétaires avec Valle Grande — et dans la phase initiale, avec Solidaridad. Pour les paysans, c'est avant tout le moyen de sortir du cycle de la dépendance. Ils n'ont plus besoin de livrer aux banques leur coton à bas prix, en échange de prêts misérables à des intérêts allant jusqu'à 25 pour cent, ni de se résigner à voir l'intermédiaire — le propriétaire de l'égreneuse — empocher la valeur ajoutée de leur produit. Les trois parties prenantes d'Oro Blanco se sont accordées sur un prix qui — après correction en compensation d'une perte de rendement de 6 pour cent entraînée par la culture biologique — est supérieur de 50 pour cent au prix du marché mondial. Grâce à un crédit commercial avantageux d'Oikocredit, une garantie bancaire et un fonds d'entraide sociale par le biais d'ICCO, les paysans sont en mesure de contourner les banques locales. En outre, Valle Grande a acquis un intérêt de 50 pour cent dans un site d'égrenage local, permettant à Oro Blanco de faire égrener son coton bio à prix coûtant. Pour finir, Oro Blanco sera co-propriétaire du magasin de vêtements néerlandais. Le prix équitable est ainsi garanti et les agriculteurs exercent un contrôle et participent aux bénéfices générés par la vente de leur produit.

Oro Blanco offre aux paysans une possibilité structurelle d'investir dans une production durable et dans la formation d'une nouvelle génération de cultivateurs et cultivatrices. Elle leur donne en outre une plus large marge financière pour proposer aux cueilleuses itinérantes des Andes un meilleur salaire, un logement, des soins médicaux et une crèche. Solidaridad a élaboré dans ce cadre un plan d'action en concertation avec les paysans et Valle Grande. Plan qui a été mis en œuvre en mars 2001, dès le premier versement du prix équitable.

Passer à une production biologique du coton n'est pas chose facile pour les petits cultivateurs. Ils sont fortement dépendants de l'acquéreur, la fabrique de coton, qui égrène le coton brut et le conditionne en balles. On ne fait pas qu'y traiter le coton. Le directeur est en même temps spéculateur et bailleur de fonds. Il garantit non seulement la livraison à bas prix des précieuses graines et des pesticides, mais aussi le crédit qui permettra aux cultivateurs de joindre les deux bouts jusqu'à la récolte. Ils sont totalement dépendants de lui.

Il n'existe qu'une manière de briser le cercle vicieux : « Emprunt-production-récolte-remboursement-emprunt. » C'est la création d'entreprises comme Oro Blanco, pour les paysans de Cañete, le premier pas vers une plus grande indépendance. Eux-mêmes déclarent ne pas vouloir forcément se limiter à la production cotonnière. La transition à une culture biologique implique de toute façon une agriculture de rotation et des cultures mixtes. Haricots, cacahuètes, asperges, mandarines et oranges sont, entre autres, des produits susceptibles d'être cultivés en culture mixte. Les paysans souhaitent aussi vivement exporter ces produits en passant par un canal de distribution du commerce équitable, comme AgroFair aux Pays-Bas.

XHIIÑA GUIDXI

Depuis, les premiers ateliers de couture ont ouvert leurs portes dans la chaîne montagneuse du sud du Mexique. D'autres coopératives de cultivateurs de café ont, comme UCIRI, mis en place des petits ateliers de couture, où de nombreuses femmes, en particulier, ont trouvé du travail, complétant ainsi les revenus tirés du café. Un de ces ateliers est situé dans la petite ville d'Ixtepec. Les habitants sont fiers du bâtiment construit par UCIRI, qui a été financé par les revenus tirés de l'exportations du café. La vaste salle abrite des dizaines de femmes assises derrière leur machine à coudre. Indiennes pour la plupart, elles sont originaires des montagnes. Certaines sont jeunes et pour la première fois de leur vie loin de la maison familiale, d'autres ont un mari qui est resté « là-haut ». L'atelier applique une politique d'embauche favorisant les femmes célibataires ou divorcées, car ce sont elles qui, sur le plan social et financier, ont le plus besoin d'un emploi.

Dans la fabrique, on est concentré sur son travail. Les ouvrières portent un masque contre la poussière et font glisser d'une main experte les pièces de coton sous la machine à coudre. Le bleu foncé du jean domine. La toile est découpée sur de longues tables. Le calme règne, malgré le ronronnement des machines. Des ventilateurs suspendus au plafond rafraîchissent un peu l'air. La salle est bien éclairée et une jeune fille armée d'un grand balai s'assure de la propreté de cet immense espace. Le symbole d'UCIRI orne un mur : un cercle de femmes qui se tiennent la main autour d'une machine à coudre.

Julita Cruz Gómez, d'origine Zapotèque, est l'une des femmes ayant trouvé un travail à la fabrique. Elle repasse sur une table un chemisier de denim raide. Un bandeau retient ses lourds cheveux noirs, repasser lui donne chaud. À cause de son travail à l'usine de vêtements, Julita a quitté les montagnes pour s'installer dans la petite ville d'Ixtepec. Elle raconte qu'elle a trois fils, dont l'un est déjà marié et a quitté la maison. Les deux autres l'ont suivie à Ixtepec, où elle a trouvé à se loger dans un quartier à l'extérieur de la ville. « La maison n'a rien d'extraordinaire, parce que je n'ai presque pas d'argent. Elle est en carton, mais quand j'aurai des économies, d'ici peu, nous pourrons en acheter une en dur. » Malgré les mauvaises conditions de logement, Julita estime que sa nouvelle vie en ville est nettement meilleure. « Nous venons presque tous des montagnes, où nous sommes habitués à vivre dans des maisons de torchis. Là-bas, il n'y a ni électricité ni eau courante. Il faut aller chercher l'eau à une source. Ici, à Ixtepec, ce n'est pas du tout pareil. Quand il fait nuit, on tourne le bouton et la lumière s'allume, et l'eau coule du robinet », dit-elle. Mais plus que la lumière et l'eau, Julita apprécie surtout la sécurité que lui donne son emploi dans la fabrique. « Ici, à Ixtepec, j'ai tout : travail et sécurité. Je cours beaucoup moins de risques. Dans les montagnes, si on tombe malade, il faut se débrouiller tout seul. Rien n'est sûr là-bas. Une forte averse de grêle ou une période de sécheresse peut nous faire tout perdre d'un seul coup. C'est dur de vivre dans cette insécurité. »

La vie quotidienne d'une ouvrière du textile est totalement différente de celle d'une paysanne des montagnes. Julita et ses collègues ont eu du mal à s'y habituer. Dans les montagnes, elles étaient leur propre maître et n'allaient travailler que lorsqu'elles l'estimaient nécessaire. Jusqu'à un certain point, c'était elles qui décidaient de leur activité et du temps qu'elles y consacraient. « Au moment de la récolte il fallait marner jour et nuit, mais il y avait aussi des périodes plus calmes où on avait le temps de s'asseoir au soleil pour bavarder avec les voisins. » À l'usine de vêtements d'Ixtepec, les choses sont totalement différentes. Les ouvrières sont soumises à des horaires fixes. Elles travaillent de 8 heures du matin à 6 heures du soir. « Les journées sont longues, dit Julita. Mais on a une pause à midi où on peut prendre un repas pour 5 pesos. Dans les montagnes, les journées sont en général plus courtes, mais le travail est nettement plus dur. Après avoir trimé pendant des heures sur la parcelle de café ou au potager, il y a encore un tas de choses à faire en rentrant à la maison. » La différence avec sa vie précédente est grande, mais Julita y est maintenant habituée. « Le travail dans la fabrique est moins exigeant. Ici, nous ne travaillons que cinq jours par semaine. Pour moi, cela représente un luxe. Un week-end libre, ça n'existe pas dans les montagnes. »

Le salaire est sans doute l'amélioration majeure pour les ouvrières de la fabrique de vêtements. Julita gagne 43 pesos par jour, ce qui représente plus du double de ce que perçoit en moyenne un cultivateur de café pour son travail, 21 pesos. Cela crée parfois des situations gênantes. Les jeunes filles gagnent dans leur premier emploi le double de ce que leur père arrive péniblement à extirper de sa parcelle de café. Les femmes comme Julita disposent tout d'un coup de plus d'argent que leurs maris restés dans les montagnes. Une pilule quelquefois amère à avaler pour ces derniers. Mais en général, ce complément de revenus dont le besoin se fait durement ressentir est bien accueilli par tous.

La fabrique de vêtements où Julita Cruz Gómez travaille tourne principalement pour le marché local. Les jeans sont vendus dans les magasins d'UCIRI. Ici, tout le monde a un sac en coton avec le logo d'UCIRI. D'ici peu, la fabrique doit produire en collaboration avec Solidaridad une collection éco-coton. On travaille déjà dur à de nouvelles créations très tendance. Faisant le mannequin, une des ouvrières traverse la salle habillée d'une nouvelle jupe courte en jean. Elle tourne lentement sur elle-même pour montrer comment tombe la jupe. « Il faut légèrement raccourcir », déclare le styliste d'un œil critique, et il commence à enlever les épingles de l'ourlet. La jeune fille a l'air un peu embarrassée. Elle n'a pas envie d'être vue dans une jupe aussi à la mode. Pourtant, un design compétitif sera indispensable si la fabrique doit produire pour le marché international.

UN RÉSEAU DE CONFECTION PLUS ÉTENDU

La création d'un atelier à Xhiiña Guidxi sur l'initiative d'UCIRI a marqué une étape importante. D'entrée de jeu, il était évident qu'il fallait élargir la base de production. Solidaridad a trouvé un second partenaire au Brésil. Il s'agit de Cooperjeans et CooperFinishing, deux coopératives de travailleurs dans les environs de Sao Paulo. Elles produisent maintenant pour Kuyichi. Il existe aussi une possibilité à plus long terme au Guatemala. Il s'agit des tailleurs de San Fransico el Alto, un programme de développement qui doit permettre d'ici deux ans de produire des vêtements pour le commerce équitable. Parallèlement à ce réseau centraméricain, on étudie les possibilités de mettre en place des ateliers « éthiques » en Asie. Solidaridad a établi les premiers contacts avec des organisations sœurs ayant des partenaires dans les pays asiatiques.

Au Brésil, la relation a été établie par une organisation avec laquelle Solidaridad a des accointances de longue date : ANTEAG, une ONG qui prône la gestion par les travailleurs des compagnies industrielles, l'*autogestao*, dans le cadre de coopératives. Il s'agit d'un modèle d'entreprise où la propriété des moyens de production et leur gestion sont entre les mains des travailleurs. La direction est élue démocratiquement par les membres. Ce modèle stimule la propriété collective, l'engagement mutuel et la solidarité.

Le mouvement pour l'autogestion est né à une période où le secteur industriel du Brésil connaissait de graves difficultés. Des branches entières étaient assainies par des licenciements en masse et la fermeture d'entreprises. Dans certains endroits, les ouvriers ont pu reprendre des entreprises et continuer les activités en autogestion. Ils n'ont pas été jetés à la rue, mais sont passés du jour au lendemain du statut d'employés à celui de co-propriétaires. ANTEAG essaye, avec l'appui du syndicat brésilien progressiste CUT, d'apporter à ces nouveaux entrepreneurs les compétences et connaissances nécessaires pour faire de la reprise de la compagnie un succès. Ce qu'elle a fait aussi chez CooperJeans et CooperFinishing, qui travaillent en coopération. CooperJeans se consacre à la confection de jeans et CooperFinishing est responsable de la finition pour l'exportation : lavage, repassage, étiquetage et emballage. La coopérative CooperJeans compte 290 membres, CooperFinishing 210, en majorité des femmes jeunes dont la moyenne d'âge est 33 ans.

Ces travailleurs ont su construire en quelques années une entreprise saine et durable. L'efficacité de l'exploitation va de pair avec une bonne politique sociale, la démocratie et l'émancipation. De plus, les moyens d'exploitation limités ont été investis en priorité dans la protection de l'environnement. CooperFinishing dispose pour le lavage d'une installation d'épuration des eaux d'une capacité de 45 000 litres par heure. L'eau finalement évacuée dans la rivière est plus propre que lors du pompage. Si l'on compare aux eaux de surface bleues d'autres entreprises, l'importance de l'épuration des eaux est évidente. L'entreprise emploie encore des produits chimiques, tout en cherchant des produits de remplacement ou en s'efforçant de limiter les dommages environnementaux. L'usage de produits chimiques est soumis à des règles de sécurité strictes et les emballages sont renvoyés au producteur pour leur réutilisation. Plastiques, papiers et cartons sont collectés séparément et vendus à des entreprises de recyclage. Cet exemple entraîne chez les employés un changement de comportement. Ils sont plus respectueux de l'environnement, tant au travail qu'à la maison.

Remanier une entreprise privée pour en faire une coopérative de travailleurs est un procédé complexe, qui demande une formation approfondie. Un plan éducatif dirigé par ANTEAG a été mis en place. Les intéressés discutent de la politique de l'entreprise à l'assemblée générale qui se tient une fois par mois. La direction est entre les mains d'une équipe de gestion qui a le champ libre pour mettre en place une production professionnelle.

La politique sociale de cette entreprise est un exemple pour le secteur. Une crèche accueille les enfants non scolarisés des employés. Une pause d'une heure a été aménagée pour le déjeuner, qui est servi dans une cantine. Un médecin du travail assure les soins médicaux, une assurance vie collective a été souscrite et un congé maternité de 120 jours avec maintien du salaire a été instauré. Un physiothérapeute conduit la séance quotidienne de mise en forme. Des choses qui paraissent aller de soi, mais qui hélas sont encore l'exception dans l'industrie textile.

Pour les membres de la coopérative, la collaboration avec Solidaridad offre de nouvelles possibilités pour pousser plus loin la politique sociale et environnementale ; ce que ne permettent pas les prix payés par les acheteurs actuels, dont Levi Strauss et Lee. La concurrence est féroce et ces derniers n'hésitent pas à différer leurs contrats s'il y a un centime à gagner sur le prix d'un pantalon. La garantie de pouvoir livrer, dans de bonnes conditions, offre de nouvelles perspectives pour le développement de l'entreprise.

LES TAILLEURS DE SAN FRANSISCO EL ALTO

Au Guatemala, Solidaridad a élaboré avec des partenaires locaux un plan pour installer des ateliers de couture. Il s'appuie sur l'expérience de la production textile, distribuée, pour le moment, sur le marché local. Les tailleurs de San Fransisco el Alto (département de Totonicapán) ont trouvé dans la confection vestimentaire une alternative à l'agriculture. Cette partie des hautes terres de l'Altiplano n'autorise qu'une seule récolte par an pendant la saison des pluies, de mai à novembre. Le reste de l'année est sec et froid. La population est donc habituée à chercher d'autres activités pendant la saison sèche. Dans des temps révolus, les Indiens partaient pour la plaine côtière où ils cultivaient leurs propres terres. L'importance prise par l'agriculture d'exportation — café, cannes à sucre et plus tard le coton — leur en a barré l'accès. Les émigrants européens qui surent extorquer ces terres au gouvernement pensaient plus aux bénéfices à tirer de l'exportation qu'aux droits des Indiens. Les nouveaux propriétaires ne reconnaissant pas les règlements ancestraux de la population autochtone lui refusèrent l'exploitation, intermittente, de leurs terres. Les Indiens furent ainsi forcés de se louer comme travailleurs saisonniers dans les plantations. Les conditions de travail inhumaines — dénoncées publiquement par Rigoberta Menchú — et l'humiliation permanente ont été de tout temps une raison pour la population autochtone de l'Altiplano de chercher une alternative aux travaux saisonniers.

Les villageois de San Fransisco el Alto ont opté pour la confection. Il y a une quinzaine d'années, un groupe de tailleurs s'est formé. Ils confectionnent jeans, blousons et chemises pour le marché régional. Sur ce marché, la qualité des vêtements comme leur prix sont bas. Quelque

3 500 tailleurs travaillent à domicile, hommes et femmes, pour le compte d'un commerçant. Le tailleur va chercher les jeans pré-coupés et les coud à la maison sur une machine à main vieille, mais solide. Il est payé à la pièce. Certains tailleurs travaillent à leur compte. Quatre jours par semaine, ils cousent pantalons, chemises ou blousons qu'ils vendent les trois autres jours, sur divers marchés de la région.

Leur productivité est faible et le revenu minime. La question est donc de savoir comment l'augmenter. Le segment du marché sur lequel ils opèrent n'offre que des prix faibles. Un produit de meilleure qualité, qui permettrait de pénétrer un autre segment du marché, serait la solution. La participation de Solidaridad au trajet de l'habillement équitable fournit aux tailleurs cet accès à un autre marché. Un prix plus élevé leur permettrait de professionnaliser leur production et dans un même temps, de dégager des fonds pour investir dans l'éducation, le logement et le service de santé publique dans la région rurale pauvre de Totonicapán.

Début 2000, un groupe s'est formé à Pabatoc. Nous l'avons mis en contact avec PRODETOTO, un projet de coopération au développement de l'Union européenne et du gouvernement guatémaltèque. L'accès au crédit a été dès lors facilité aux membres du groupe et une collaboratrice du projet fournit une assistance technique sous forme de leçons de couture, découpe et patrons. L'année dernière, une bénévole japonaise de PRODETOTO a également créé une nouvelle collection pour enfants. La concurrence sur ce segment du marché national du vêtement est relativement faible. La réaction des commerçants de gros et des détaillants aux premiers modèles a été positive. Il existe une demande dans ce domaine. Pour la production de vêtements pour enfants de qualité, un plus gros capital d'exploitation et de meilleures machines à coudre représentent la prochaine étape ; pour ces investissements, le groupe peut obtenir un crédit grâce au programme CODINO, l'organe regroupant les organisations de base, mis en place par le service des crédits de PRODETOTO. La collection enfants sera mise en fabrication dès que possible. Afin de limiter les risques qu'implique son lancement, les membres du groupe poursuivront, dans un premier temps, leur production actuelle.

Bien que l'introduction d'une collection enfants représente déjà pour le groupe de Pabatoc une croissance potentielle des revenus, ses membres regardent plus loin. Ils souhaitent produire pour le marché de l'exportation. Teresa Ixocy, vice-présidente du groupe, déclare : « Les prix payés à l'étranger sont beaucoup plus élevés. Je suis consciente qu'une forte amélioration de la qualité de nos vêtements s'impose et nous avons encore tout à faire sur ce plan. Mais j'espère que le jour viendra où nous arriverons à produire pour l'exportation, de façon à augmenter réellement nos revenus. »

Afin de pénétrer sur le marché de l'exportation, le groupe est entré en contact avec la fabrique de vêtement Villasa, établie à proximité de la capitale. Villasa produit, entre autres, des chemises, des jupes et des vêtements de sport pour différents clients d'Amérique du Nord. Une collaboration entre Pataboc et Villasa est actuellement à l'étude. Villasa fournira probablement à court terme des machines et une formation sur l'amélioration et le contrôle de la qualité. Villasa devrait ensuite donner des commandes en sous-traitance au groupe de Pataboc, afin de lui permettre d'acquérir l'expérience nécessaire à l'exportation.

Il existe au Totonicapán des groupes similaires à celui de Pataboc. Certains d'entre eux travaillent en collaboration avec le projet de l'UE, comme le groupe de Poxlajuj, spécialisé dans la confection de jeans. L'idée est de créer — à condition que la coopération avec Villasa se mette en place — un atelier de couture de 30 à 50 tailleurs où la production serait réalisée selon les critères de qualité du marché de l'exportation. L'assistance technique de PRO-DETOTO, l'acquisition de nouvelles machines et la collaboration avec Villasa devraient permettre d'améliorer les produits du groupe de Pataboc. Il espère répondre d'ici deux à trois ans aux exigences de qualité de Kuyichi et pouvoir alors y participer.

UN MARKETING SUBTIL

Parallèlement au processus de mise en place de la production, il faut chercher une formule de marketing adéquate. Après le lancement du café Max Havelaar et des bananes Oké, Solidaridad possède une certaine expérience dans ce domaine, mais chaque produit demande une approche spécifique. Je décidai de me pencher sérieusement sur le marché de l'habillement et de la mode. Jusque-là, je n'étais qu'un simple consommateur, pas particulièrement sensible aux courants vestimentaires et avec une certaine aversion pour les marques et les logos.

Finalement, il m'a fallu un an pour acquérir une honnête connaissance des spécificités propres à cette branche. Une année d'entretiens avec des spécialistes du secteur, des experts indépendants et des entrepreneurs. J'ai sillonné l'Europe, de Stockholm à Milan, en passant par Paris et Londres. Les fabricants de jeans haut de gamme m'ont garanti une chose : il n'y a pas de marché pour un jean respectueux de l'homme et de l'environnement. Une telle image est invendable. Le comportement du consommateur est ambivalent. D'une part, il apprécie que les entreprises intègrent l'aspect social à leur politique ; en particulier s'il s'agit du travail des enfants. D'autre part, il n'apprécie pas qu'un aspect social trop appuyé soit associé à un vêtement. Un participant à un panel de consommateurs a laissé échapper : « Je n'ai pas l'intention d'étaler ma bonne conscience. »

Le problème du vendeur de vêtements équitables est que son client potentiel apprécie ses efforts sur le plan social, mais n'a pas envie qu'on les lui rappelle avec trop d'insistance. Je commençais aussi à mieux comprendre un autre mécanisme du marché ; la valeur ajoutée d'un vêtement de marque. Alors que pour un produit comme le café et la banane, la qualité est déterminante de son succès commercial, pour la confection, un tissu de haute qualité et une coupe parfaite sont loin de suffire. Pour un label qualité, tout tourne justement autour de l'image de marque. Une image qui doit offrir un point de repère au consommateur sur un marché saturé. Une image donnant à des groupes de consommateurs une identité propre. Le consommateur est prêt à débourser plus pour une marque « branchée » : une hausse du prix qui n'est plus directement liée à un coût de revient plus élevé, mais à la valeur ajoutée de la marque.

La question était de savoir s'il serait possible d'éponger le surcoût d'une production, respectueuse des aspects sociaux et de l'environnement, en lançant sur le marché une marque « tendance », qui délierait automatiquement les cordons de la bourse du consommateur.

Suivit ensuite une période de tâtonnements. C'était l'époque de la parution du livre de Naomi Klein, *No logo*, qui devint la bible des antimondialistes. Elle dénonce la dictature des marques, nouvelles personnalisations des valeurs, dans une société où les institutions morales tombent en décrépitude, faisant place à la toute-puissance de la publicité et du marketing. Sa mise en accusation du logo est parfaitement justifiée, ainsi que son analyse acérée des conditions de production de marques haut de gamme comme Nike et Adidas. Elle décrit la sponsorisation démentielle du sport, où des contrats de centaines de millions de dollars sont passés avec des sportifs hors classe, alors que les entreprises maintiennent structurellement des coûts de production faibles en exploitant les ouvriers.

Pourtant, l'analyse de Naomi Klein ne me satisfait pas entièrement. À son tour, elle fait du « système » une forteresse hermétique, un vaste complot contre la raison et la justice. L'exposé ne fait qu'accuser, sans proposer de stratégie de changement. Sans trop connaître le sujet, apparemment, Naomi Klein banalise les possibilités de changement de l'intérieur, comme s'il n'existait aucune perspective, hormis le renversement « total » du système, qui paraît fort peu probable. Nos chemins se séparent définitivement lorsqu'elle affirme qu'acheter « éthique » est dénué de sens. « Le capitalisme absorbe ce type d'initiatives et les neutralise. Le développement de produits biologiques et équitables ne fait que dépolitiser le problème, affirme-t-elle. Un marché parallèle se crée et pour le reste, rien ne change. »

À mon avis, elle passe ici à côté de la logique des actions de consommateurs et du macro-débat sur l'organisation de l'économie mondiale. La perspective d'agir localement, de penser globalement maintient le rapport entre les deux et par là me paraît la meilleure. Discréditer un choix sciemment éthique est la dernière des choses à faire. C'est sur ce choix que nous fondons nos espoirs.

Je décidai de conseiller à Solidaridad d'emprunter une autre voie. Le logo, la force d'une marque, pouvait-il aussi servir la bonne cause ? Il ne devait pas communiquer une image mais une identité.

Les marques sont indissociables du marché. Pour le consommateur, une marque est un point de repère dans le choix d'un produit. Elle facilite son parcours le long des rayons. Comment, sans elle, choisir dans l'abondance de l'offre ? La fidélité à une marque est aussi une garantie de qualité pour le consommateur : Douwe Egberts symbolise une certaine saveur et une certaine qualité de café, Microsoft symbolise la compatibilité des applications et Miele la fiabilité. Nike ou G-star ne proposent pas seulement un style de vie, mais aussi un produit de qualité. Ces marques jouent sur le fait que consommer est aussi une forme d'expression individuelle. On montre qui on est, à quoi on adhère. Donner une valeur symbolique aux objets est une tendance qui a toujours existé. À travers les âges, différentes cultures ont donné forme à ce besoin d'expression. Le véritable problème dans notre monde moderne n'est-il pas la monopolisation de cette expression ? Elle est devenue la proie d'une commercialisation sauvage de la société. Si c'est le cas, c'est là-dessus que doit porter le débat.

LE DÉVELOPPEMENT DE NOTRE PROPRE VISION

La qualité devra être la base de notre campagne de marketing : matériau de haute qualité, coupe parfaite, coutures apparentes et nouvelles méthodes de lavage. Il faudra en outre communiquer un certain concept de la mode. La marque doit avoir de « la gueule », m'a-t-on affirmé. Un produit tendance, vendu dans les meilleures boutiques de jeans et de mode.

Il s'agit ensuite d'élargir le concept de qualité à la valeur sociale du produit. Le coton biologique et de bonnes conditions de production — message sous-jacent — n'entrent en jeu que dans un deuxième temps.

La suite est une répartition plus ou moins naturelle des tâches. Nous positionnons la marque comme label haute qualité, très tendance ; l'entreprise développe une stratégie qui véhicule son identité coopérative. En tant qu'entreprise responsable, sa position est explicite en ce qui concerne ses objectifs sur le plan social ; le jean, lui, n'est pas autre chose qu'un accessoire à la mode.

Je voyais un avantage majeur à cette approche. Après tous les produits équitables introduits sur le marché, je trouvais de plus en plus difficile d'avoir à demander au consommateur de payer « un peu plus » pour une juste rémunération du producteur. La nouvelle génération de producteurs du commerce équitable, sûre d'elle, en avait assez de l'image du pauvre producteur lésé et du consommateur compatissant qui cherche surtout à se donner bonne conscience. « Les pantalons n'ont pas besoin de s'appuyer sur leur caractère social ; si notre café est plus cher, c'est *espresso*. »

En positionnant le produit sur le segment supérieur du marché, nous ferions passer implicitement le message suivant : les producteurs du tiers-monde sont capables de fabriquer des produits de haute qualité. Le professionnalisme du producteur devient l'argument majeur. Le prix d'une marque de qualité rend possible une production durable, la valeur ajoutée de la marque permettant de couvrir le prix de revient plus élevé. Cela valait le coup de mettre ce concept à l'essai et de chercher un nouvel équilibre subtil.

LA CRÉATION DE KUYICHI

Parviendrait-on à réunir le savoir-faire indispensable au succès d'un marketing fondé sur la qualité et l'identité ?

Que coûtait en fait une telle stratégie de commercialisation ? Les producteurs sélectionnés seraient-ils en mesure de livrer le niveau de qualité exigé ?

Je pressentais que le facteur humain serait décisif. Nous pouvions mettre notre plan au placard si nous n'arrivions pas à trouver les personnes compétentes. J'avais bien établi entre-temps tout un réseau de contacts dans la branche de l'habillement, mais cela ne voulait pas dire que nous pourrions y puiser les candidats voulus. Les connaissances exigées étaient très spécifiques : connaissance du marché, du design et du marketing. Des affinités avec la mission sociale de l'entreprise à créer étaient indispensables.

Une chose était donc claire, trouver les personnes adéquates serait le facteur principal de notre succès. Avec mon dévoué collègue, Jeroen Douglas, je conduisais des entretiens avec un certain nombre de candidats rencontrés lors de nos multiples visites dans les entreprises. Six mois plus tard, une équipe de douze personnes était au travail : dessinateurs de mode confirmés, spécialistes en marketing connaissant le marché du jean comme leur poche, cadres et comptables capables de rédiger un plan de développement détaillé. Après les hommes, vient le problème du financement. La somme nécessaire calculée dans le plan de développement s'élevait à 7,5 millions de florins. 1,5 de capital propre et 6 millions de crédit bancaire. Le premier ne représentait pas le plus gros problème. En quelques mois, trois actionnaires se sont montrés prêts à fonder l'entreprise, chacun apportant un tiers du capital propre.

Nous voulions garantir en premier lieu la possibilité pour les futurs producteurs de devenir co-actionnaires de l'entreprise. C'est dans cette optique que la Coopérative de producteurs Kuyichi a été créée, détenant un tiers des actions. Le ministère des Affaires étrangères a fourni le capital nécessaire. Le second actionnaire est la société de participation Stimulans, établie à Bois-le-Duc. Stimulans est une initiative de plusieurs congrégations religieuses qui participent à la création d'entreprises à caractère social. Le troisième actionnaire que nous avons trouvé est Triodos Deelnemingen, la société de participation de la banque Triodos de Zeist. Cette répartition des droits de propriété garantit le caractère équitable de l'entreprise.

Obtenir le crédit nécessaire de 6 millions n'a pas été chose facile. La banque Triodos, la Rabobank et une société de facturation ont finalement accepté d'accorder le crédit. Des problèmes imprévus ont surgi à plusieurs reprises au cours de la prise de décision, pour lesquels nous avons dû faire appel à notre imagination. Pendant ce temps, le temps passait et nous prenions de plus en plus d'engagements financiers, qui, à maintes reprises, nous ont donné des sueurs froides. Solidaridad a assuré le préfinancement et s'est portée garante à plusieurs reprises.

Actionnaires de Kuyichi

Les producteurs de jeans sont actionnaires de l'entreprise Kuyichi. La répartition est la suivante :

Sans cette flexibilité, nous n'aurions pu démarrer la société et notre initiative n'aurait jamais vu le jour.

La direction a dressé un plan d'action. L'une des premières choses à décider était le nom de la marque. Des 60 suggestions résultant d'une séance de brainstorming, 3 noms de marque ont été retenus après une sélection serrée. Tous les 3 anglais et tous les 3 impossibles à enregistrer. Soit la marque existait, soit elle montrait une ressemblance visuelle ou auditive avec une autre marque. Un nom qui ne figurait pas sur la liste provisoire a fini par surgir : *Kuyichi,* le nom péruvien du dieu de l'arc-en-ciel. D'après la mythologie, Kuyichi aurait effacé les couleurs de l'arc-en-ciel car l'injustice régnait au sein de l'humanité. Il ne les a restituées qu'une fois la justice rétablie. C'est depuis ce temps-là que les Indiens des Andes portent des ponchos aux couleurs vives. Kuyichi symbolise la couleur qu'il faut redonner à l'existence.

L'équipe de stylistes n'a pas tardé à corriger drastiquement mes vues de profane sur l'introduction d'une marque de jeans sur le marché. Il était impossible de se contenter de lancer un jeans. Nous ne serions que des vendeurs de pantalons, nous ont-ils affirmé. Une marque peut être axée sur les jeans, mais elle devra immanquablement proposer un assortiment plus large. En plus d'une collection de base de 10 jeans au minimum, en modèles féminins et masculins, et au minimum en 25 tailles, il faudra une collection de 120 hauts : chandails, T-shirts, chemises, polos, blousons et autres. La marque peut se développer en élargissant l'assortiment par une collection de saison, tout en gardant le jeans comme article pivot.

Un second conseil important portait sur la création des vêtements. Introduire un jeans « normal » sur le marché est impossible. Les jeans calqués sur le modèle classique sont légion. Kuyichi devait présenter un concept qui se distingue du reste du marché. Une coupe spéciale, un délavage caractéristique ou une couture originale. La vente de la collection dans le segment supérieur doit s'appuyer sur des caractéristiques à la mode. Une fois entrée et positionnée sur le marché, la collection peut ensuite être progressivement élargie avec des modèles plus communs, ouvrant la perspective d'un segment de prix inférieur. Les experts préconisent de viser haut au départ pour pouvoir ensuite laisser la collection « retomber » vers un plus large groupe de consommateurs.

J'étais conscient que cette tactique susciterait une certaine incompréhension. Pourquoi la collection se démarquait-elle de la moyenne ? Pourquoi pas les pantalons à cinq poches « normaux », à un prix normal ? Solidaridad devrait répondre à ces questions. Cependant, nous ne pouvions ignorer la réalité du marché.

L'élargissement préconisé de la collection nous plaçait devant un nouveau problème : où produire ces hauts ? Les producteurs avec qui Solidaridad était en contact se situaient dans le secteur de la confection de jeans.

Une mission fut envoyée au Pérou et au Salvador pour explorer sur place les possibilités. Elle conclut qu'on pouvait confectionner des vêtements de bonne qualité dans ces pays, mais qu'il faudrait un certain temps pour que la production réponde aux critères de Kuyichi. L'approche devrait être graduelle. Comme disait un partenaire péruvien : « On ne peut pas d'un jour à l'autre faire de l'obscurité, la lumière. »

D'autres visites sur le terrain allaient suivre. Finalement, la création d'un nouvel atelier Kuyichi s'imposait. Ainsi, nous faisions d'une pierre deux coups : la répartition des droits de propriété et le contrôle des normes sociales étaient résolus. Les conditions de travail dans les ateliers existants étaient telles, que leur transformation reviendrait plus cher ou ne parviendrait jamais au résultat voulu. Notre choix est tombé sur la vallée de Cañete, où la culture biologique du coton avait été mise en œuvre. Solidaridad a travaillé d'arrache-pied pour pouvoir démarrer la construction de l'atelier début 2002.

UNE APPROCHE GRADUELLE

J'ai été forcé de regarder la réalité en face. Le monde de la confection est plus complexe que je ne le pensais. Une collection haut de gamme demande un réseau de producteurs étendu, avec des ateliers exclusivement spécialisés dans certains articles. À l'automne 2000, les stylistes Kuyichi ont présenté une collection complexe à réaliser.

Une première production d'essai nous obligea à conclure que l'atelier mexicain ne satisfaisait pas aux critères de qualité, même pour la production de modèles relativement simples comme le K 50. Les coutures laissaient à désirer à cause du calibrage et du réglage inadéquats de la machine. Le découpage des patrons demandait à être amélioré. La communication entre Xhiiña Guidxi et Kuyichi à Haarlem était mauvaise. La liste des problèmes était longue.

Les ateliers du Brésil, quant à eux, approchaient du but. De légères modifications permettaient à CooperJeans et CooperFinishing de produire en partie la première collection. Mais là aussi, la production des modèles Kuyichi haut de gamme n'était pas encore possible techniquement parlant. Pour le moment, la production de ces modèles devrait inévitablement être réalisée en Europe, m'assurait-on.

Je le compris en allant visiter en Espagne l'usine de tissage « Royo » et « Jeanologia », un bureau d'études et de conseil, réputé dans le domaine de la technologie du jeans, établi à Valence. Je n'avais jamais vu un processus de production de ce niveau en Amérique latine. La différence de qualité du produit sautait aux yeux, même pour un profane. Jeanologia expérimentait de nouvelles qualités de denim et de nouvelles techniques de production. Un partenaire stratégique, crucial pour le développement de notre projet.

Ces problèmes de production nous conduisirent à adopter une nouvelle tactique. Nous devrions opter pour un changement graduel. Tous les pantalons ne pouvaient pas être produits dans les ateliers Kuyichi d'Amérique latine dès le début. Il fallait d'abord intensifier le programme d'amélioration de la qualité de production. Il fut immédiatement élaboré pour l'atelier au Mexique. Novib se montra prêt à le financer, en partie par une donation et en partie par un crédit. Une assistance de l'équipe technique de Kuyichi fut accordée aux coopératives Coopers du Brésil. Elles produisent maintenant les premiers K 30, K 50 et K 530.

En second lieu, une relation soutenue avec une entreprise novatrice comme Jeanologia en Espagne sera nécessaire. La production de tissus jeans et les techniques de confection sont en perpétuelle évolution. Malheureusement, les producteurs indépendants n'ont pas accès à ces innovations. Aussi, le transfert de technologies est un facteur de développement déterminant et donc un objectif majeur des initiatives de commerce équitable. Le réseau de producteurs devra ménager une place structurelle à la production européenne et fournir des qualités de tissus et des techniques de productions de pointe.

L'implantation des ateliers Kuyichi

	2000	2001	2002	2003	2004
AMÉRIQUE LATINE					
Mexique Xhiiña Guidxi	construction production marché local	production pour Kuyichi	production pour Kuyichi	production pour Kuyichi	production pour Kuyichi
Brésil CooperJeans	adaptation au marché équitable	production pour Kuyichi	production pour Kuyichi	production pour Kuyichi	production pour Kuyichi
Pérou Atelier Kuyichi	-	préparation atelier production pour Kuyichi	construction pour Kuyichi	production pour Kuyichi	production pour Kuyichi
Guatemala Prodetoto	-	préparation	construction ateliers	production pour Kuyichi	production pour Kuyichi
ASIE	-	repérage	construction ateliers	production pour Kuyichi	production pour Kuyichi
EUROPE DE L'EST	-	repérage	construction ateliers	production pour Kuyichi	production pour Kuyichi

Satisfaire aux normes sociales et environnementales toujours plus strictes demandera également une approche graduelle. Pour une démarche transparente et flexible, il faudra faire une distinction entre des critères minimums, à appliquer dans l'immédiat, et des critères à remplir à plus long terme.

Les normes du programme SAI (programme de normalisation des conditions de travail et d'emploi) sont, pour Kuyichi, les normes minimales à appliquer à toute production. Elles sont fondées en majeure partie sur les conventions ILO et sont de ce fait reconnues internationalement. Il s'agit d'un système opérationnel de normalisation où le suivi est assuré par des évaluateurs accrédités. Kuyichi a entre-temps obtenu une certification. Cela signifie que tous les maillons de la chaîne de production devront répondre aux normes sociales en vigueur. Malheureusement, celles de l'environnement n'ont pas été définies, il revient donc à Kuyichi d'instaurer une politique écologique.

Les critères SA8000 sont les mêmes que ceux de la Charte du commerce équitable néerlandaise (EHH), un programme de normalisation développé dans le cadre de la campagne « Vêtements Propres ». Les aspects opérationnels de ce programme EHH sont actuellement testés dans un certain nombre de polders pilotes, qui pourront plus tard être adoptés par Kuyichi.

Le prix équitable, élément essentiel dans ce type de commerce, n'est appliqué dans aucun de ces deux programmes. Ils ne stipulent aucune condition de vente. Or, l'intégration de normes sociales et environnementales entraîne des coûts. Les producteurs ne peuvent faire ces investissements que s'ils sont sûrs de les récupérer.

Les pays en développement sont très réticents, à juste titre, aux normes « imposées », si elles n'ont pas de répercussion sur le prix à la consommation. L'approche Kuyichi consiste à définir, avec les producteurs, un plan d'amélioration, à calculer les coûts et à payer la facture.

La formation du prix pour la collection Kuyichi tient compte du juste prix pour le producteur. Pour le coton de la vallée de Cañete, Oro Blanco et Kuyichi sont convenus d'un prix d'achat de 115 dollars par balle. À la dernière saison des ventes, le prix du marché était 84 dollars la balle. Il a été convenu d'une majoration minimale pour la production équitable et biologique de 20 pour cent par rapport au prix du marché. Ce qui devrait donner un prix d'achat de 101 dollars. Le prix le plus élevé de 115 dollars est dicté par les prix légèrement en hausse sur le marché commercial et le désir de donner une impulsion supplémentaire au programme de conversion à la culture biologique.

Pour la confection, la marge est déterminée d'après une façon entre 4 et 6 dollars par pantalon, selon le modèle. La marge moyenne sur le marché régulier se situe à 0,90 dollar par pantalon. La façon est constituée des éléments suivants : la découpe du tissu, la confection du vêtement et la finition. C'est ce qu'on appelle dans le jargon professionnel le CMT : *cutting, making, trimming*. Le CMT est une prime à la fabrication calculée en minutes de travail. Un jean Kuyichi demande en moyenne un temps de fabrication de 18 à 22 minutes.

La marge en surplus versée par Kuyichi est utilisée pour financer le programme complémentaire d'amélioration des conditions de travail et la prise en compte de l'aspect environnemental dans les ateliers Kuyichi. Le caractère social de la production qui ne peut pas encore être réalisée dans les ateliers Kuyichi est garanti par une certification SA8000. Les conditions de vente pour ces fournisseurs sont les conditions usuelles du marché. Ceci vaut par exemple pour les achats auprès de la fabrique espagnole et l'atelier de Hong-Kong spécialisé dans la production de vêtements spécifiques. Kuyichi réserve cependant dans la formation du prix une majoration de 20 pour cent sur le prix d'achat. Cette majoration est versée à un fonds qui permet de financer le développement d'ateliers Kuyichi et la conversion à une culture biologique des matières premières. Cette méthode garantit des conditions sociales pour la totalité de la production. Un capital d'investissement est formé pour répondre à des normes de travail et environnementales toujours plus strictes.

La marque du commerce équitable Kuyichi a été lancée fin octobre 2001. Avec plus de 50 points de ventes disséminés sur tout le pays, Kuyichi prend un bon départ. C'est au consommateur de faire un succès du nouveau modèle de l'industrie textile.

LA GLOBALISATION PAR LE BAS :
RÉFLEXION SUR LA PRATIQUE

Nous venons de décrire le lancement d'un certain nombre de produits du commerce équitable : le café Max Havelaar, les bananes Oké et les jeans Kuyichi. Afin de définir le cours à suivre dans l'avenir, une étude approfondie du commerce équitable s'impose. Sans analyse ni stratégie tout mouvement manque de fondement et de direction. La réflexion et la théorie permettent de mieux déterminer la tactique à suivre.

Le moment est venu de se pencher sur l'avenir du commerce équitable.

PROTESTA : LA CRITIQUE DES STRUCTURES

Pour bien comprendre de nouveaux concepts, il faut les placer dans le contexte social dont ils sont issus. Pour choisir de nouvelles voies, mieux vaut attendre le moment propice. Les crises et les innovations sont étroitement liées. Dans les années 90, plus précisément au moment de la chute du mur de Berlin en 1989, la pensée sur les modèles de développement est bloquée. Il lui manque une orientation politique nette. Il n'existe pas de concept global pour la suppression de la misère et de la marginalisation. Les actions ont un caractère fragmenté. Bien que certaines soient menées avec succès, il ne semble pas y avoir d'alternative à l'économie de marché et à la globalisation. La génération contestataire, formée dans les années 60, doit trouver de nouvelles voies. La critique des structures politiques, économiques, cléricales et culturelles est dans une impasse. Certains mouvements initialement porteurs d'espoir et de liberté ont débouché sur de nouvelles formes de répression. D'autres ont avorté ou ont succombé à des conflits internes et n'ont offert aucune perspective à long terme.

L'histoire dramatique de diverses tentatives de démocratisation en Amérique latine en est la triste illustration. Un mélange de facteurs internes et externes ont fait que des initiatives prometteuses n'ont pu aboutir. Les révolutions ont avorté ou dégénéré, elles n'ont pas répondu aux attentes escomptées.

En 1959, la révolte contre le dictateur Batista à Cuba a tout d'abord entraîné un grand mouvement de solidarité internationale. Avec la politique de Fidel Castro : un socialisme à visage humain où l'enseignement et la santé étaient prioritaires, tous les espoirs étaient permis. Castro souhaitait un développement économique fondé sur la participation et l'égalité. Malheureusement, la polarisation qu'a entraînée la guerre froide dans les années 60 a semé les germes du drame de la révolution cubaine. À l'instar du modèle communiste de l'Europe de l'Est, Castro a instauré un parti d'État et le modèle, qui reposait initialement sur la participation, s'est transformé en un appareil de contrôle et de répression. Le développement économique a stagné ; la société cubaine est aujourd'hui sclérosée.

Au début des années 70, un socialisme démocratique prenait forme au Chili avec Allende. Trois ans plus tard, Pinochet mettait brutalement fin à cette expérience. La polarisation interne nourrie par les difficultés d'ordre économique a ouvert la brèche permettant le coup d'État militaire. La gauche n'avait pas réussi à mobiliser une base suffisamment large et capable de soutenir les réformes nécessaires.

Un nouvel espoir naquit au Nicaragua avec la révolte menée par les Sandinistes contre le régime de Somoza. Jamais une révolution n'avait joui d'une coalition sociale et idéologique aussi large, les conditions semblaient réunies pour un changement démocratique et un développement économique. Elle se solda par un échec, là aussi, minée par la polarisation qui a fait perdre aux Sandinistes le soutien de leur base. L'unification du Parti et de l'État allait lui être fatale. Sous prétexte de sauvegarder les « acquis sandinistes », on ouvrit la voie à la corruption des cadres du Parti, ce qui finit de miner le peu de respectabilité qui lui restait. Dans les pays voisins : le Salvador et le Guatemala, la lutte armée déboucha sur une impasse militaire, dont la seule issue fut un accord de paix n'offrant pas de réelles perspectives à des changements sociaux.

Dans le plus grand pays d'Amérique latine, le Brésil, après presque vingt ans d'un régime militaire, à la fin des années 80, la situation semblait mûre pour laisser le champ libre aux forces démocratiques, par la voie parlementaire. En 1989, il ne manquait au candidat socialiste Lula, chef de file du Parti des travailleurs et ancien leader syndical, que peu de voix pour être élu. Dans les années 90, la gauche subit encore deux défaites électorales. L'échec du mouvement socialiste aux élections s'explique par le manque d'une alternative économique fiable. La majorité a estimé que la gauche n'était pas prête à gouverner.

Dans ces différentes expériences, les facteurs externes ont, certes, joué un rôle déstabilisant. L'embargo contre

Cuba a nui au mouvement révolutionnaire et la CIA a joué un rôle clé dans la déstabilisation du régime d'Allende. La contre-révolution à laquelle les sandinistes ont dû faire face était en grande partie orchestrée par les États-Unis et la lutte armée au Salvador et au Guatemala n'aurait pas eu lieu, ou du moins elle aurait eu une autre issue, si les élites locales n'avaient pas profité de l'appui des États-Unis dans leur politique de génocide et de répression de leur propre peuple.

L'idée de sécurité nationale que les États-Unis ont introduite en Amérique latine a été catastrophique, elle les a conduits à soutenir systématiquement toutes les dictatures qui, pendant des années, ont empêché tout développement démocratique et économique, créant un malaise structurel présent encore de nos jours.

Cependant, dans une analyse nuancée de cette période, une question s'impose : les interventions extérieures suffisent-elles à expliquer la crise de la gauche en Amérique latine ? Nous nous devons d'admettre que la réalité est plus complexe.

La chute du mur de Berlin a plongé le mouvement de la gauche latino-américaine dans une nouvelle phase de désarroi idéologique. Une analyse superficielle consistait à expliquer ses propres échecs par la puissance de l'impérialisme. La chute du régime communiste des pays de l'Est était considérée comme le dernier coup porté au socialisme par le capitalisme international. Or, cette version fait abstraction des causes internes qui ont conduit à la chute du communisme et qui, pourtant, ont été décisives : l'incapacité des régimes communistes à développer un modèle économique capable d'engendrer la prospérité du peuple et l'incapacité de fonder l'évolution de la société sur les principes démocratiques et le respect des droits de l'homme. Dans cette perspective, la chute du mur de Berlin était historiquement inévitable, elle était même souhaitable, puisqu'elle a libéré les populations de l'Est du joug de ces régimes. Elle devrait définitivement libérer la gauche latino-américaine de son dogmatisme et des idéologies inaptes à définir une stratégie de développement dans leur propre contexte. L'effet paralysant de la guerre froide dans les débats politiques devrait être relégué aux temps révolus, malheureusement la confusion et l'incertitude règnent encore. De nouvelles idées commencent à naître et de nouvelles voies se dessinent prudemment.

Le tournant qui s'ébauche dans la culture politique de l'Amérique latine se résume à ces deux termes : *protesta* (protester) et *propuesta* (proposer). Les mouvements contestataires aux aspirations révolutionnaires ont échoué face à la rigidité de l'ordre établi, aussi injuste et condamnable qu'il ait pu être sur le plan éthique. Une voie détournée, une approche par étapes évitant si possible les confrontations frontales et un soutien populaire plus large semblent être la seule issue possible.

Propuesta signifie proposer. Une attitude constructive se dessine au sein du mouvement social et politique. Elle passe par le lobby et par des propositions concrètes. La crainte du risque de récupération est vite écartée dès lors que l'on obtient des résultats et qu'on n'a pas d'autre alternative à proposer. C'est dans cette nouvelle tendance que se situe la coopérative de paysans UCIRI au Mexique, ainsi que son pendant en Europe : le mouvement de solidarité pour un commerce équitable.

PROPUESTA : UN CHANGEMENT PROGRESSIF

L'élan démocratique des années 80 et 90 a ouvert la voie à de nouveaux modèles d'action sociale et à de nouveaux concepts politiques et mis fin à la période noire de la dictature militaire des années 70. Les militaires se sont retranchés dans leurs casernes et l'arène politique est plus ou moins régie par les règles de la démocratie. Ceux qui ont connu les horreurs de la dictature militaire se garderont bien de parler avec dédain d'un semblant de démocratie. On ne peut que se réjouir de la fin d'une période de violation systématique des droits de l'homme, de disparitions, de torture et d'abus de pouvoir de toutes sortes. Le processus de démocratie et de respect des droits de l'homme est déclenché, si fragile et limité soit-il. Des points ont déjà été marqués. Les militaires ne siègent plus au gouvernement, les escadrons de la mort ont cessé d'opérer. Pour que la démocratie ait une chance, le nouveau régime devra prendre des mesures concrètes pour l'amélioration du sort de la majorité. Il faut renforcer les institutions démocratiques et l'État de droit ou même, parfois, les mettre en place. Des réformes économiques sont nécessaires afin d'offrir des perspectives à la majorité de la population vivant dans la pauvreté. La lutte sociale et politique que ces changements nécessitent va mettre les droits démocratiques formels à rude épreuve. Peut-on encore parler d'une vraie démocratie quand on n'a pas encore rendu justice aux victimes de la répression, quand *Nunca mas* se bat toujours pour que ceux qui ont enfreint les droits de l'homme soient jugés ? Va-t-on ressortir les anciennes méthodes de répression à la moindre manifestation ? L'élite va-t-elle continuer à s'agripper à ses privilèges et à s'opposer à toutes réformes les remettant en cause ?

Il est vrai qu'au sein des mouvements sociaux d'Amérique latine, on reste sceptique sur les possibilités de réformes sociales qu'offre cette nouvelle démocratie. On peut parler d'une déception générale dans le monde politique. L'espoir et le doute se relaient ; la balance peut pencher du côté de l'espoir dans la mesure où l'on pose des jalons pour une nouvelle réalité sociale. Un premier pas a été fait.

Les mouvements sociaux remettent en cause leur propre fonctionnement. À l'époque où la mobilisation était importante, le nombre et la discipline étaient essentiels. Les leaders décidaient et la base suivait. Aujourd'hui, on accorde plus d'importance à la prise de décision et à la notion de participation. Une organisation qui souhaite créer de nouveaux rapports sociaux doit les introduire au sein même de l'organisation.

On prend conscience d'autres priorités. On note par exemple un intérêt croissant pour l'aspect culturel dans la question sociale. Dans certaines régions d'Amérique latine, une grande partie de la population est autochtone. Les Indiens réclament la reconnaissance de leur identité culturelle et de leurs traditions. On peut parler d'une « Renaissance » indienne : une nouvelle prise de conscience dans laquelle les composantes culturelles sont considérées comme essentielles pour l'évolution de ces populations. Pas seulement pour les populations indiennes elles-mêmes, mais aussi pour l'évolution des mentalités. La richesse ne passe pas avant la dignité, comme le dit un proverbe indien : « *Hacerse rico con honor.* »

Dans d'autres pays d'Amérique du Sud, les Afro-Américains se mobilisent. Les Noirs dénoncent le racisme et la discrimination. La conscience noire commence à influencer le mouvement social.

La position des femmes est à l'ordre du jour. Celles-ci s'organisent et sont présentes dans toutes sortes d'associations. On ne peut ignorer plus longtemps la spécificité de leur situation. Dans le cadre du développement, la prise en compte de cette dernière permet de souligner les intérêts spécifiques des femmes sans pour cela les opposer à ceux des hommes.

Le débat politique évolue. Le dogmatisme de « gauche » a fait son temps. Les mouvements sociaux sont à la recherche de nouveaux concepts dépassant les clivages traditionnels et la polarisation. L'opposition État marché entre dans une nouvelle phase. On connaissait le camp des défenseurs du marché, qui ne pouvaient imaginer autre chose que le libre-échange et ceux qui prônent le rôle de l'État dans l'économie. Nous entrons dans une phase plus pragmatique.

Quel genre d'État peut engendrer l'expansion économique ? De quelle marge doit disposer le marché pour créer un développement socio-économique ? Le rôle de la société civile est redéfini. Le marché et l'État ont besoin d'un contrôle démocratique. Dans une société évoluée, les associations ou mouvements de citoyens peuvent influencer la politique de l'État et imposer un gouvernement efficace et respectable. Les syndicats, les organisations des droits de l'homme et de l'environnement veillent à contrôler les effets indésirables des lois du marché. Ainsi la participation n'est pas seulement une valeur en soi, elle garantit les conditions d'une croissance économique durable.

Dans ce nouvel état d'esprit, on voit apparaître de nouveaux modèles de solidarité internationale. À côté de l'aide traditionnelle, on cherche de plus en plus à influencer la politique afin de supprimer les causes mêmes du sous-développement. Le passage d'un modèle vertical, donateur bénéficiaire, à un modèle horizontal fondé sur la réciprocité. *Trade no aid* (du commerce, pas d'aide) fait école. C'est dans ce contexte que l'initiative Max Havelaar d'UCIRI et de Solidaridad a été largement acceptée et se développe comme une véritable alternative à l'ordre établi du commerce international et à l'aide au développement, comme un modèle de globalisation par le bas.

LES PRIX DU MARCHÉ : LA VÉRITÉ SUR LES COÛTS ?

Afin de bien situer le commerce équitable, il faut tout d'abord constater qu'il occupe une place sur le marché international, avec des produits tels que le café, la banane et les vêtements et participe ainsi à la globalisation. Le commerce équitable est une activité commerciale. On peut même dire qu'il travaille avec les acteurs commerciaux et qu'il est régi par les mécanismes du marché. Les premiers sont les compagnies qui produisent et commercialisent ses produits : les coopératives de café, les plantations de bananes et les ateliers de couture, mais aussi les revendeurs, les transporteurs, les grossistes et les supermarchés. Le commerce équitable intervient sur le marché et il en accepte les règles : le prix d'un produit est fixé en fonction de certains facteurs tels que l'efficacité, la concurrence et la qualité du produit.

Le mouvement pour un commerce équitable ne remet pas en cause l'économie de marché en soi, en revanche, il en attend quelque chose de positif, il veut en corriger fondamentalement les effets secondaires de façon à ce que les répercussions sociales soient toutes autres. Afin de bien comprendre la différence entre l'impact social du commerce traditionnel et celui du commerce équitable, attardons-nous tout d'abord sur le fonctionnement du premier.

En théorie, le marché « libre » génère la baisse des prix par les lois de la concurrence. Celui qui propose des produits ou des services au tarif le plus bas, qui réussit donc à produire au moindre coût, l'emportera sur les autres. La concurrence encourage également l'efficacité et l'innovation technologique. Dans la guerre des prix, les producteurs qui ne peuvent suivre sont éliminés, loi impitoyable, mais inévitable. Finalement, la société, dans son ensemble, profite de la croissance qu'engendre le plus grand nombre de concurrents. Si l'on supprime la dynamique des rapports de concurrence libre qui fixe les prix du marché, on supprime le moteur du progrès économique et ainsi la base de l'évolution sociale de la société.

On part ici du principe que la concurrence résulte de la productivité, de l'innovation technologique et des stratégies commerciales, et c'est là que le bât blesse. La réalité est tout autre.

Un mécanisme important au sein du capitalisme consiste à éliminer ou à réduire les charges, par exemple réduire les coûts sociaux, considérés comme des frais externes. Ce n'est pas l'entreprise qui a les coûts de revient les plus bas, mais celle qui parvient le mieux à réduire les charges qui arrive à produire au prix de revient le plus bas. L'économie qui est ainsi réalisée repose sur deux postes : les coûts sociaux et les coûts environnementaux de la production. Pour les premiers, il s'agît du coût réel du travail ou du coût social. Le prix d'un salaire « décent » ou le coût de conditions de travail dignes. Or, ces derniers n'apparaissent pas dans le prix de revient, car dans une grande partie du tiers-monde les ouvriers ne peuvent s'organiser en syndicats afin d'exiger des conditions de travail décentes. L'augmentation du prix de revient qu'entraîneraient des conventions collectives est ainsi éludée. Les gouvernements sont trop faibles pour intervenir par la voie législative. Les rapports internationaux les condamnent à la passivité, sous peine de voir les entreprises se déplacer vers d'autres pays où la main-d'œuvre est encore meilleur marché. On le constate dans l'absence ou la stagnation de la législation. Elle concerne le travail des enfants, aux conséquences désastreuses pour leur avenir, la limitation de la semaine de travail, la sécurité, la santé sur le lieu de travail et l'infrastructure sociale en général.

On ne retrouve pas ces coûts réels ou sociaux du travail dans le prix final. Les compagnies font l'économie des charges aux dépens du travailleur sous-rémunéré et des enfants exploités. Elles profitent de l'absence de mesures de sécurité sur le lieu de travail, des journées trop longues, des salaires trop bas. De plus, elles refusent aux travailleurs le droit de s'organiser. Tous ces coûts représentent des charges sociales qui ne sont pas assumées, provoquant un retard dans les domaines de la santé, de l'éducation et la fragilité sur le plan économique. Ces facteurs freinent à leur tour le développement économique de la société. L'économie faite sur les coûts réels du travail engendre des effets néfastes sur le plan social. Elle se fait au détriment de la durabilité du potentiel de production, puisque les frais de reproduction du travail ne sont pas pris en compte. Toute entreprise assumant ses responsabilités sociales intègre ces frais externes. Ils font partie du prix de revient réel d'un produit.

D'après l'idéologie de l'économie de marché, l'ouvrier est libre de proposer ou non ses services. Si ce raisonnement entre dans le cadre du néolibéralisme, l'argument ne tient pas sur le plan économique. Si le marché libre sous-entend la liberté, il s'agit de celle, pour l'entrepreneur, d'abuser de son pouvoir et non de celle du travailleur. Il ne pourrait proposer son travail en toute liberté que s'il avait le choix de le faire dans de bonnes conditions, si, par exemple, il avait la liberté de s'organiser pour défendre ses droits à une rémunération décente. En effet, on ne peut parler de coût réel du travail — reproduction et développement — que lorsqu'il est intégré au prix de revient du produit. On parle alors de prix de revient intégral. Si le marché ne peut le garantir, il contracte une dette envers la société.

L'environnement fait également les frais d'un tel procédé. On ne retrouve pas le coût de la protection de l'environnement dans le prix fixé. Le sol, les eaux souterraines et l'air sont pollués sans que des mesures de protection ou de réparation ne soient prises. Ces frais reviendront à la charge des générations futures, qui seront confrontées à un environnement ayant perdu de sa diversité et dont les capacités à répondre aux besoins de la population auront diminué par la pollution et par une exploitation abusive. Dans l'économie écologique on appelle ce phénomène « la pénurie sans prix ». La pénurie des ressources naturelles n'a pas été prise en compte dans le prix parce qu'aucune législation sur l'environnement ne l'a calculée. Les prix du marché devraient être fixés en fonction des responsabilités des entreprises. Le marché n'assume pas ses responsabilités en matière d'environnement et c'est ainsi que l'on épuise les ressources naturelles.

Si les prix étaient calculés en fonction des coûts sociaux et environnementaux, si ces derniers étaient intégrés, on pourrait remédier à ces deux lacunes. Le prix doit refléter les coûts réels de la production, charges comprises. On doit retrouver la totalité des frais dans le prix de revient d'un produit. Cela ne sera réalisable qu'en imposant au marché un cadre social, institutionnel et juridique. Les mouvements sociaux devraient jouer le rôle de garde-fou face aux effets nuisibles du marché. La pénurie sur le plan de la justice sociale et la pénurie sur le plan des ressources naturelles doivent avoir un prix. Les organisations sociales deviennent ainsi un facteur économique. Le marché ne peut se développer sans un cadre juridique protégeant le droit à la propriété, sans une définition précise des droits et des devoirs des entreprises et sans une instance se prononçant en cas de litige. Même les lois de la concurrence doivent être soumises au contrôle de l'État.

Les associations de défense de l'environnement, des

droits de l'homme, des droits des consommateurs et les syndicats représentent les forces sociales indispensables au bon fonctionnement de l'économie de marché. Le rôle de l'État pour encourager le développement d'une économie durable est à définir.

Le secteur de la banane illustre bien les lacunes du marché en ce qui concerne l'intégration des coûts.

Une multinationale comme Chiquita produit en Amérique centrale une caisse de banane de cinq dollars cinquante. Le prix FOB de 5,50 dollars la caisse de 18,14 kg est supposé être le prix du marché pour la banane, c'est-à-dire le prix d'une denrée de qualité, réalisé de la façon la plus efficace et donc au coût de production le plus bas. Or, si cette compagnie peut fournir à ce prix, ce n'est pas seulement parce que c'est une entreprise professionnelle où l'efficacité et la productivité ont priorité. Si elle peut produire ses bananes pour 5,50 dollars, c'est parce que la compagnie Chiquita a une longue tradition de pratiques politiques louches et de répression des travailleurs. Les droits syndicaux leur ont été systématiquement refusés. Lorsqu'à l'issue d'une lutte très dure, ils parvenaient tout de même à s'organiser et à obtenir de meilleures conditions de travail, la compagnie déplaçait sa production et allait s'installer dans une autre région. De plus, elle n'a jamais assumé aucune responsabilité pour l'environnement. La productivité a toujours été très élevée et en dépit des risques d'infection dus au climat tropical, l'utilisation de produits chimiques garantissait un produit parfait. Les effets désastreux pour l'environnement ont toujours été ignorés.

Le prix du marché de Chiquita reflète les rapports de force dans la société. Les coûts de production ne tiennent pas compte des frais sociaux et environnementaux, car

Chiquita a développé un concept politique connu sous le nom de la « République de la banane » : un gouvernement faible, qui manipule et opprime les partenaires sociaux. L'effet de cette politique se traduit en terme de prix. Il est de 1,75 dollar la caisse de bananes. Le prix intégral des bananes d'Amérique centrale est de 7,25 dollars. Intégral signifie que la production a été efficace, à un coût de 5,50 dollars, et durable, le coût de la durabilité revenant à 1,75 dollar. Dans les 7,25 dollars, les coûts sociaux et environnementaux sont compris, c'est le prix de marché d'une production durable. Le soi-disant prix de marché de Chiquita est en réalité le prix politique des bananes et il exprime le taux de répression. En Équateur, on produit même pour 4,50 dollars. L'exploitation systématique de la main-d'œuvre est encore pire dans la région des Andes qu'au Costa Rica. En Équateur, le salaire d'un journalier est de 4 dollars alors qu'au Costa Rica, il s'élève à 10 dollars.

Le prix des bananes au label Max Havelaar est de 7,25 dollars, c'est le prix intégral et durable, un prix qui reflète la réalité.

UN PRINCIPE ÉCONOMIQUE : LE CALCUL DU PRIX DE REVIENT INTÉGRAL

Petit à petit, nous avons défini l'idée de « commerce équitable ». Elle se résume à trois points.

La production du commerce équitable sous-entend *une production et un marketing économiquement efficaces*. Nous aspirons en priorité à fournir un produit de qualité dans le cadre d'une production efficace. Le commerce équitable doit être conforme au marché dans le rapport qualité-prix.

Une dure réalité se cache derrière ces mots, car les lois du marché sont impitoyables. Elles le sont pour un produit de qualité inférieure et pour un prix de revient trop élevé. Le consommateur qui achète les produits du commerce équitable exige lui aussi un café de qualité, une belle banane et des vêtements bien coupés. La qualité est donc la première condition pour accéder au marché. Le prix est étroitement lié à la qualité. Le rapport qualité-prix est donc déterminant. Ce dernier doit être concurrentiel par rapport à celui du marché. Le producteur est sous le joug des lois du marché. Par ces temps de course à la productivité, d'innovations technologiques, d'extension et de restructurations, la tendance est à la baisse du prix de revient. Le producteur, surtout s'il produit pour le marché international, devra sans cesse s'efforcer de baisser ses coûts de production et en même temps améliorer la qualité de son produit.

Le commerce équitable plaide pour de meilleures conditions de commercialisation afin de donner au producteur les moyens d'investir dans l'amélioration de la production et dans la qualité. La mise à la disposition de nouvelles technologies et l'échange d'expériences entre les producteurs est une des fonctions importantes du réseau qui se forme autour des initiatives de commerce équitable. Les organisations de coopération ont un rôle important à jouer, en particulier dans l'amélioration de la position des producteurs faibles ou marginalisés. L'aide financière et l'assistance technique visent à supprimer les retards en matière de productivité et d'efficacité de la production.

Les impératifs concernant la production s'appliquent également au marketing. Le commerce équitable doit proposer une structure de marché réduisant au minimum les frais de transaction. L'inefficacité entraîne des coûts plus élevés et par conséquent la perte des marchés.

La production du commerce équitable est *socialement durable* : le deuxième aspect dans la définition du commerce équitable concerne l'intégration des coûts réels de main-d'œuvre dans les frais de production. Il apporte ainsi une correction significative par rapport à la pratique du marché.

Dans le prix du produit, on retrouve les coûts d'une production tenant compte de l'aspect humain. La concurrence ne se joue pas au niveau de l'exploitation du travail.

On impose au marché un cadre dans lequel est fixé le coût réel du travail. Cela signifie en premier lieu la reconnaissance du droit de s'organiser. Les paysans montent des coopératives et les travailleurs adhèrent à un syndicat. Dans de nombreux pays, les revendications pour le droit de s'organiser sont loin d'être acceptées, ce qui montre à quel point ce droit est primordial. En collaboration avec, et dans certains cas, à l'encontre des responsables, il faudra définir des conditions de travail acceptables. Les coûts des conventions collectives représentent une partie du prix de revient du produit.

La production du commerce équitable est écologiquement durable : le troisième aspect concerne l'intégration des coûts environnementaux de la production. Là aussi, le commerce équitable apporte une correction fondamentale à la pratique de l'économie de marché.

Dans le prix du produit, on retrouve les coûts d'une production respectueuse de l'environnement. La concurrence n'est pas fondée sur les coûts environnementaux.

Dans le secteur agricole du commerce équitable, on relève cinq thèmes importants : les coûts de la protection de la biodiversité, la prévention de la pollution des eaux et de l'érosion, le contrôle, la réduction et la suppression des pesticides et des engrais chimiques, la diminution des déchets, leur recyclage et l'utilisation du compost. Dans le secteur industriel, on retrouve un certain nombre de ces points, mais ceux propres à ce secteur restent à préciser.

En bref : le commerce équitable est une pratique commerciale fondée sur le principe de l'efficacité sur le plan économique, de la durabilité sociale et écologique. Le prix intégral est l'instrument permettant de réaliser ces normes. Ainsi défini, le commerce équitable relève de l'économie.

Résumons ce que le commerce équitable n'est pas car la liste des malentendus est longue.

Le commerce équitable n'est pas une organisation d'aide au développement, pas même sous sa forme la meilleure.

Le commerce équitable n'est pas un élément perturbant qui proposerait des conditions commerciales artificielles sur le marché.

Le commerce équitable n'est pas le curé qui prend la place du marchand.

Le commerce équitable ne capitule pas devant la pensée en terme de marché.

Le commerce équitable n'encourage pas l'inefficacité de la production en proposant un marché protégé.

Le commerce équitable ne se limite pas à travailler avec des producteurs défavorisés dont la position justifierait une protection des prix.

Le commerce équitable ne se veut pas un marché marginal.

Le commerce équitable s'engage pour une économie durable : une économie à la fois efficace et respectueuse de l'homme et de l'environnement. Les aspects humains

et écologiques de la production sont définis en termes économiques. Les mesures à prendre dans ces domaines sont
devenues une question de survie pour tous et donc une
question économique. Les coûts économiques de la paupérisation et de la marginalisation de la majorité de la population du tiers-monde ne font qu'augmenter. Nous devrons
miser sur une économie durable à l'échelle mondiale. L'intégration des coûts sociaux et écologiques est urgente.
L'économie mondiale sera durable ou elle ne sera pas.

Le commerce équitable interpelle la liberté de choix
du consommateur, il est à l'avant-garde en matière d'intégration des aspects sociaux et environnementaux dans les
pratiques de l'économie mondiale. Le consommateur peut,
d'ores et déjà, choisir des produits qui reflètent le prix de
revient réel. Il existe ainsi une partie du marché qui fait
figure d'exemple dans la façon dont le marché devrait
fonctionner. Le mouvement du commerce équitable doit
chercher la confrontation avec le marché traditionnel.
Notre but n'est pas de faire fonctionner comme nous le
souhaitons une petite partie du marché. Il est d'obtenir que
des multinationales telles que Douwe Egberts, Chiquita,
Levi's et Nike se convertissent à une production durable.

UN MARCHÉ DURABLE

Si l'on définit le commerce équitable comme un
modèle de réorganisation pour l'ensemble du marché, nous
devons nous demander si un modèle fondé sur le pouvoir
du consommateur possède un potentiel capable d'entraîner
un tel changement. Ne sommes-nous pas en train de sures-
timer ce pouvoir ?

Dans le modèle du système équitable, la taille du
marché et les résultats économiques sont déterminés par le

nombre de consommateurs qui choisissent consciemment ces produits. Cette partie du marché est, jusqu'à présent, trop limitée pour avoir un effet significatif. La part de marché du café Max Havelaar est de 3 pour cent aux Pays-Bas et de 8 pour cent en Suisse, trop faible pour pousser les acteurs commerciaux à adopter nos pratiques. Les tolérer, peut-être, ne serait-ce que pour éviter de voir s'accroître la part de marché du café équitable. La banane équitable a un potentiel plus important. Les parts de marché sont plus élevées et elles continuent à augmenter. Sans les entraves de la législation européenne, nous aurions plus de résultats. La part de marché des bananes équitables et biologiques, de 15 pour cent, en Suisse devient intéressante. Les chances d'atteindre les 30 pour cent à plus ou moins court terme ne relèvent pas de l'utopie. On en constate déjà l'effet sur le reste du marché. Chiquita et Dole ne peuvent ignorer plus longtemps cette situation. Dole investit dans la culture biologique des bananes et s'oriente sur les possibilités d'une certification sociale fondée sur le programme SAI. Chiquita a développé son *better banana project* (projet de la meilleure banane) qui vise à intégrer des améliorations sociales et environnementales au niveau de la production. Pour la première fois dans son histoire, la firme a accepté l'augmentation du prix de revient comme une donnée. Cette augmentation des coûts de 10 cents montre bien que l'amélioration est limitée. Mais c'est le début d'un changement de cap. Il est encore trop tôt pour dire ce que sera l'effet de Kuyichi dans l'industrie du vêtement, mais là aussi tout dépendra de la menace que représenteront ses parts de marché pour le reste de la branche.

Malgré le potentiel encore à l'état latent du commerce équitable, il est clair que le consommateur responsable ne suffira pas, à lui seul, à faire changer les choses.

Heureusement, il ne représente pas la seule force sociale pour arriver à une économie durable. D'autres partenaires sociaux ont un rôle à jouer. Les syndicats représentent un facteur important dans la lutte pour des conditions de travail décentes. Les organisations des droits de l'homme ont les moyens nécessaires pour peser sur les législations, la juridiction et les codes de conduite. Les organisations écologiques militent pour pousser les entreprises et le secteur public à appliquer une politique respectueuse de l'environnement. Le mouvement du commerce équitable n'est qu'un maillon de la chaîne de ce large mouvement social. Grâce à toutes ces forces, la question de la durabilité dans l'entreprise est la plus discutée en ce moment. Il faudra des pressions encore plus fortes pour que cet aspect devienne incontournable pour n'importe quelle entreprise.

Dans un document à usage interne d'une des plus grandes chaînes de distribution des Pays-Bas, la pyramide du produit a été représentée ainsi :

Dans ce document on part du principe que la chaîne producteur-consommateur va prendre forme. On constate dans les différentes phases de cette pyramide que, sur le marché, nous sommes entrés dans une phase d'intégration des qualités sociales et environnementales du produit.

LE RÔLE DE L'ÉTAT

Avant de considérer son rôle dans la voie vers une économie durable, nous allons d'abord définir le rôle de l'État dans le domaine économique en général.

Dans la pensée néo-libérale, l'État ne doit pas intervenir dans l'économie. Il doit laisser le champ libre aux lois du marché. Il y a peu de temps encore, le débat politique était fortement dominé par ces positions. Or, on constatait en même temps qu'aucun gouvernement occidental n'appliquait cette idéologie de façon systématique. Cela ressemble plutôt à un principe qui serait bon pour les autres, pour les pays du Sud. Chez soi, en revanche, on recule devant les conséquences qu'impliquerait une absence totale des pouvoirs publics dans la vie économique.

Nous affirmons que pour la durabilité de l'économie, l'intervention des pouvoirs publics est indispensable. Elle doit garantir un environnement stimulant.

Les pouvoirs publics devront garantir les infrastructures de base, comme l'accès à l'enseignement et à la santé pour tous. Une population saine et bien formée est un gage d'évolution, de même qu'un État démocratique et un secteur public transparent dans un climat politique sain. La démocratie n'est pas importante seulement du point de vue de la justice et de la protection des droits de l'homme, elle représente aussi un facteur de développement économique. Les pouvoirs publics doivent stimuler les changements sociaux en encourageant les organisations sociales, surtout celles des groupes les plus défavorisés. La protection de l'environnement nécessite un cadre juridique dans lequel la production durable pourra être réalisée.

On peut tirer les leçons du passé. L'intervention de l'État dans le secteur de la production entraîne le gaspillage, la corruption et l'inefficacité. C'est pourquoi un gouvernement moderne encourage le secteur privé. Pour développer le potentiel économique des pays en voie de développement, la politique économique s'oriente vers les pauvres, selon le modèle *pro poor growth* (la croissance en faveur des pauvres).

Dans ce système, le pauvre est lui-même le sujet économique. On a définitivement abandonné la théorie des années 60, selon laquelle les effets de la croissance économique profiteraient automatiquement aux plus pauvres de la société. On constate à présent qu'il n'en va pas ainsi, la répercussion sur les revenus des pauvres est minime ou même totalement absente. On sait aussi à présent que la stratégie qui consiste à redresser le potentiel économique, par des programmes de réformes structurelles, et en se préoccupant après coup des conséquences sur le plan social, n'entraîne pas non plus d'améliorations.

Ce n'est qu'avec la participation active des pauvres que l'on pourra réellement enrayer la pauvreté. Ils doivent contribuer activement à la croissance pour en cueillir les fruits.

On commence à admettre aujourd'hui les trois conditions nécessaires à cette participation :

— Des possibilités de développement économique.

— Le renforcement de la position des pauvres dans la vie politique et la suppression des barrières sociales.

— Une protection juridique les rendant moins vulnérables.

Les politiques des différentes économies nationales devront garantir ces trois conditions. Ces responsabilités collectives sont valables pour tous les pays. Les pouvoirs publics doivent prendre des dispositions pour garantir les conditions d'un développement durable. La globalisation de l'économie est un phénomène souhaitable et inéluctable. Le débat ne porte donc pas sur la question : pour ou contre la globalisation, mais dans quelles conditions se déroulent les relations économiques et le commerce. La première priorité est donc la participation des populations, des régions et des pays. Dans une étude récente de la Banque mondiale on reconnaît que la globalisation se fait en excluant deux milliards de personnes, ou pire, à leurs dépens. La question est donc aujourd'hui : la globalisation doit-elle être le fait d'une minorité ou de tous ?

La deuxième question concerne la nature et les conditions dans lesquelles se fait la mondialisation des relations économiques. Est-elle dirigée par le haut ou par la base ?

La troisième question : la globalisation doit-elle se limiter à l'aspect économique ? Le débat devra porter sur les différentes mesures politiques, sociales, culturelles, juridiques et administratives pouvant faire contrepoids à la toute-puissance des grandes entreprises. Le pouvoir des multinationales et la suprématie du monde occidental rendent indispensable un organe de décisions politiques global.

LE MARCHÉ FONCTIONNE-T-IL POUR LES PAUVRES ?

La question de l'intégration des coûts et des prix n'est pas le seul problème qui nous oblige à jeter un regard critique sur l'économie de marché telle qu'elle fonctionne aujourd'hui. Les nombreuses carences du système nécessitent des changements radicaux.

Un problème fondamental de l'économie de marché est la façon sélective et incomplète dont est fait l'inventaire des besoins. Le pauvre, en tant que consommateur, est ignoré. L'économie ne prend en compte les besoins que dans la mesure où ils sont liés à un pouvoir d'achat. Les entreprises ne produisent que pour une demande significative. Les besoins de base des pauvres sont urgents, mais le marché n'y répond pas puisque les populations pauvres n'ont pas de pouvoir d'achat. En revanche, les besoins du consommateur riche qui, sur le plan humain, sont beaucoup moins urgents, ont priorité.

Par le mécanisme du pouvoir d'achat, le marché est mal informé sur les priorités des besoins. La mauvaise répartition des revenus fait que les besoins de première nécessité du pauvre sont ignorés et que les besoins superflus du riche sont honorés. La portion de riz ou de farine de maïs de l'un devrait avoir priorité sur la résidence secondaire de l'autre. L'économie de marché présente les besoins comme illimités, en réalité ce ne sont pas les besoins mais les désirs qui le sont. L'essence même de notre économie consiste à créer de plus en plus de désirs. Seule une nouvelle répartition mondiale des revenus pourra corriger la capacité du marché à inventorier les besoins. C'est pourquoi on a développé les concepts de « besoins de première nécessité » et de « revenu minimum ». Par besoins de première nécessité, on entend l'ensemble des biens et des services minimums nécessaires à une vie décente. Le revenu minimum est le revenu nécessaire pour couvrir ces besoins. Le mouvement du commerce équitable plaide pour la défense du revenu minimum.

Tant qu'il n'existe pas une volonté politique internationale pour définir les besoins minimums et le revenu qui y correspond, il est futile de prétendre que la pauvreté disparaîtra par les mécanismes du marché.

Un deuxième aspect concerne le rôle du pauvre en

tant que producteur. Acquérir une place sur le marché est un véritable chemin de croix. Il faut d'abord un moyen de production : de la terre, des outils ou des machines. Il faut également un facteur de production : capital ou travail. L'organisation du marché en ce qui concerne l'accès à ces moyens de production est loin d'être parfaite. On connaît les problèmes de répartition des terres dans une grande partie du tiers-monde. Des paysans privés de leurs terres forment un prolétariat agricole dépendant d'un salaire journalier incertain. Il leur est pratiquement impossible d'investir dans un lieu de travail car ils ne peuvent obtenir ni les titres de propriété, ni les permis nécessaires. L'accès aux crédits leur est également refusé. Le système bancaire local, s'il n'est pas totalement absent, ne prête pas aux pauvres.

L'économiste péruvien Hernando De Soto a dévoilé la relation entre marginalité et législation. Plus de 70 pour cent de la population mondiale n'a pas accès au marché. Les pouvoirs publics n'ont pas créé les conditions permettant leur participation. Leurs activités économiques sont condamnées à rester marginales. On ne manque pourtant pas d'esprit d'initiative dans les rangs des pauvres, mais toute initiative est réduite à l'illégalité. Dans son analyse, *El Otro sendero,* il démontre qu'un Péruvien doit travailler 289 jours et gagner 1 231 dollars, 32 fois le salaire minimum, pour pouvoir légaliser son entreprise. Cela montre que la législation et la bureaucratie forment des obstacles au développement économique et à la participation des plus pauvres. Il parle de discrimination systématique des pauvres et d'apartheid économique et juridique. Dans une recherche plus récente, *Le mystère du capital,* De Soto a calculé que les biens immobiliers des pauvres dans les pays en voie de développement et dans les anciens pays communistes représentent une valeur de plus de 9 300 millards de dollars. Ces biens représentent un capital gelé, il leur manque les attestations de propriété. Les biens ne servent pas de garantie pour un crédit, les investissements représentent un capital perdu puisqu'ils ne sont pas enregistrés. Selon De Soto, la législation a un effet catastrophique et elle empêche le développement.

Si la concurrence ne s'exerce pas librement, elle entraîne également l'exclusion. Le pouvoir de certaines entreprises sur le marché prive les producteurs d'une part importante de leurs bénéfices. La position du petit paysan isolé face au négociant se résume à un rapport de dépendance et d'exploitation. Par la position de force des compagnies dans les transports, la transformation et l'exportation, une fraction seulement du prix du marché mondial profite au producteur. À son tour, le prix du marché des matières premières n'est qu'une fraction du prix que paie le consommateur. Tous les intermédiaires bénéficient du commerce du café, de la banane ou du coton, mais pas le paysan.

L'intervention des pouvoirs publics entrave souvent le mécanisme de la concurrence. Dans nombre de pays en développement, la bureaucratie s'appuie sur une juridiction qui, non seulement profite à l'élite, mais la protège, laissant le champ libre à la corruption. On retrouve ici le dilemme qui fascinait Adam Smith : tout ce qui n'est pas déterminé par les mécanismes du marché, l'est par l'ordre établi et les intérêts de la classe dominante. Dans le contexte du mercantilisme de l'Angleterre au XVIIIe siècle, Smith plaidait pour une libération totale du marché. À l'époque, sa position était peut-être d'avant-garde, aujourd'hui, elle est indéfendable. Cependant, son analyse est toujours juste. Les politiques commerciales de l'Occident le prouvent. La protection du marché garantit le respect du statu quo. Les chiffres en disent long. Le budget officiel consacré à l'aide au développement est de 60 milliards de dollars par an. Or, les taxes imposées aux importations en provenance de ces pays s'élèvent à 100 milliards. De plus, elles sont limitées par les mesures de protection, la taxe ne devant pas dépasser les 200 milliards. Le mécanisme de la concurrence, tronqué par ces interventions, limite les débouchés des produits.

Enfin, on constate une troisième carence structurelle. Il s'agit de l'organisation du marché des capitaux et par conséquent, de l'accès à l'argent. De tous les marchés, celui des capitaux est le plus global. Il existe un marché mondial, au sein duquel les capitaux se déplacent librement. Libre signifie ici : dirigé par les promesses de rendement les plus fortes. Si l'eau cherche le point le plus bas, l'argent, lui, cherche le point le plus haut. Les courants de capitaux, et pas seulement ceux des capitaux « éclairs », sont en recherche permanente de possibilités d'investissements susceptibles d'apporter les taux de profit les plus élevés. Les intérêts des entreprises ne sont pas toujours en accord avec les priorités sociales.

Le financement d'une route desservant la campagne au nord-est du Brésil rapporte beaucoup moins que celui de la dernière trouvaille électronique.

Les pauvres, à cause de cette situation, sont devenus « infinançables ». L'argent circule dans le circuit fermé de l'économie développée et ne profite pas au financement du développement économique de la grande majorité de la population mondiale.

Ces dysfonctionnements de l'économie de marché ont de graves répercussions sur la paupérisation des populations du tiers-monde. Le pauvre ne compte pas en tant que consommateur car ses besoins réels, n'étant pas liés à un pouvoir d'achat, ne sont pas pris en compte. L'accès aux moyens de production et aux marchés n'étant pas partagé équitablement, le pauvre ne compte pas en tant que producteur et en est souvent exclu. Le développement ne trouve pas de capitaux, car seuls les profits financiers déterminent les priorités de l'économie mondiale.

Le marché n'a pas les moyens de remédier à ses propres manques. Le rôle de la politique est de l'informer sur les besoins, le potentiel et les chances de profits. Ce n'est que dans ces conditions que l'économie de marché pourra contribuer à supprimer la misère et l'exclusion.

LE MARCHAND ET LE PRÊTRE

Les rapports de l'économie et de l'éthique demandent à être reconsidérés.

Dans le monde moderne, il est difficile d'appliquer les valeurs morales à l'économie. Celle-ci relève de sa propre logique. La société est compartimentée et chacun doit se contenter de la place qu'il y occupe. Dès qu'on aborde les questions éthiques avec des chefs d'entreprises, nombre d'entre eux se retranchent derrière la distinction qu'ils font entre leurs principes en tant qu'homme et leurs principes en tant qu'économiste.

Dans les années 70, lors de débats sur le boycott économique de l'Afrique du Sud pendant l'apartheid, les chefs d'entreprises ont renvoyé maintes fois leurs interlocuteurs religieux à leurs missels. Cependant la question des droits de l'homme a poursuivi les entreprises et elles n'ont pu continuer à se retrancher derrière le prétexte qu'on ne mélange pas des domaines différents. Dans les années 80, les tensions croissantes entre l'écologie et l'économie ont renforcé le mouvement écologiste. La protection de l'environnement est aujourd'hui une valeur reconnue par tous.

Les entreprises, les pouvoirs publics et les organisations sociales sont à la recherche d'un nouvel équilibre. Or, les prétentions des théoriciens du marché libre représentent un obstacle dans la recherche de solutions. Le marché est pour eux l'autorité suprême. Certes, le marché moderne est un mécanisme autonome, qui s'autorégule et s'approprie de plus en plus de domaines de la vie sociale. Il tente à commercialiser les rapports humains. Faisant figure d'autorité absolue, le marché libre ne supporte pas de critiques d'ordre moral. Les lois du marché sont toutes-puissantes, elles ne supportent pas de se voir imposer des mesures sociales limitant leurs méfaits.

Dans la définition du commerce équitable ultérieurement donnée, nous partons du principe d'un modèle économique intrinsèquement normatif. Inutile de tenir un discours normatif, c'est-à-dire qui intègre des notions d'éthique, il n'aurait aucun effet. Un tel plaidoyer ne ferait que renforcer le caractère positiviste de la pensée dominante. Il confirmerait chez les néo-libéraux l'opposition entre « les valeurs » et « les faits ». Les premières sont considérées, d'un point de vue économique, comme non fondées et renvoyées à la scolastique médiévale ou qualifiées de « bien gentilles », mais irréalistes.

Dans l'approche du commerce équitable, les aspects sociaux et écologiques de la production ne sont pas des valeurs externes. Ils ne sont pas issus d'un système de valeur extérieur au système économique. Le marché s'organise en fonction de la durabilité de la production, car, elle seule garantira la croissance de demain. Les instruments permettant d'atteindre les objectifs prévus sont formulés en termes d'économie. Le caractère normatif est intégré aux structures même du système. « Une économie responsable », voilà le mot clé. Les facteurs sociaux sont intégrés à ce modèle économique. Dans les théories habituelles, au contraire, on donne forme au champ économique. Toutes sortes de facteurs, décisifs dans le processus économique, sont a priori écartés. Les données sociales, par exemple, n'entrent pas en ligne de compte dans le concept théorique et par conséquent, la pratique entraîne toutes sortes d'effets secondaires qui n'avaient pas été prévus.

Weber a montré dans son analyse de l'histoire de l'économie le rôle qu'a joué l'évolution du système juridique. On constate aujourd'hui l'influence négative qu'il exerce dans certains pays d'Europe de l'Est. De Soto, dans son étude de l'économie péruvienne, a dévoilé systématiquement les limites imposées aux pauvres en tant que « sujets » du marché. Il conclut qu'il est trompeur de parler d'« économie de marché » dans un pays comme le Pérou. Il n'y est pas question de concurrence, mais d'un imbroglio d'intérêts opposant des pouvoirs publics qui échappent à tout contrôle et des forces politiques et économiques. Cette situation engendre des frais énormes pour les sujets économiques appartenant au secteur informel. Une partie importante de la population active est marginalisée par le système juridique et politique.

Il en est de même pour l'état de crise permanent dans lequel se trouve l'Asie. Il s'explique par le manque d'institutions démocratiques et l'absence d'une législation économique encourageant la dynamique du marché sur les marchés financiers.

D'une manière générale, l'exploitation sociale et écologique du tiers-monde s'explique par le fait que l'économie de marché a été exportée. À l'époque coloniale, accompagnée des violences que l'on sait, ont succédé les mesures impératives du Fonds monétaire international en vigueur aujourd'hui, alors que les institutions démocratiques indispensables pour réguler le marché ne l'ont pas été.

Le développement des marchés doit être intégré à l'ensemble de la société. Son fonctionnement est un facteur économique. La formation d'institutions démocratiques, l'État de droit, la vie associative, les groupes d'actions, sans oublier les syndicats, les partis écologiques et les associations de défense des consommateurs doivent déterminer le fonctionnement de l'économie. Dans une telle constellation, on pourra laisser aux mécanismes du marché la responsabilité de la production des biens et des services. Le marché fera alors partie intégrante de la société et il sera soumis à un contrôle. Des limites seront fixées dans tous les domaines de la vie publique. Les autorités disposeront des moyens politiques nécessaires dans le domaine fiscal et social, dans celui de l'environnement, de l'aménagement du territoire, de la protection des travailleurs pour influer sur les débordements éventuels. Le pouvoir aura la responsabilité de veiller à ce que le marché serve l'intérêt public. Les mécanismes du marché seront au service des citoyens.

Les limites dans lesquelles les acteurs commerciaux pourront agir seront celles que déterminera la société. L'image des entreprises dépendra de la façon dont elles respecteront ces valeurs.

ET QU'EN EST-IL DU REFUS DU MARCHÉ ET DE LA GLOBALISATION ?

Dans notre analyse, nous parlons de lacunes, de méfaits, d'échec même dans le fonctionnement du marché, de la nécessité de forces sociales capables de contrôler ses mécanismes, d'établir les règles du jeu. Nous ne nous situons donc pas dans un refus total du système. Dans ce dernier cas, le combat contre la misère est placé dans le cadre d'une critique globale du système et exige un changement radical de société. Ce type d'analyse s'enlise en condamnant à la fois le capitalisme, le système du « marché total » et le néolibéralisme, souvent placé sur la même ligne que la globalisation. Il n'est guère étonnant de voir que de telles analyses trouvent écho dans le tiers-monde car les mécanismes du marché ont généré une dualité : une minorité qui s'enrichit aux dépens d'une majorité exploitée et marginalisée.

Si les arguments plaidant pour un renversement radical ne manquent pas, il faut néanmoins tirer des leçons du passé. Le marxisme-léninisme, en s'emparant du pouvoir et en contrôlant les moyens de production, a montré qu'il ne débouchait pas automatiquement sur la solidarité. Le modèle socialiste fait abstraction de la complexité de l'économie moderne et du droit de l'individu à jouer un rôle économique autonome.

L'histoire a montré qu'on ne pouvait plus renoncer, ne serait-ce que momentanément, à la démocratie, dans l'espoir de lendemains qui chantent. Que de vies sacrifiées ! Tant d'efforts et d'espoirs déçus pour un monde nouveau. La gauche, elle aussi, ressent les contrecoups des illusions perdues : le cynisme, l'indifférence et le désengagement de citoyens repliés sur eux-mêmes.

Ce fatalisme peut se nourrir de la condamnation du système de marché et de la globalisation, symboles du dieu argent. Face à la toute-puissance du système, on ne voit d'autre issue qu'un refus radical. En Amérique latine, dans le mouvement social et les milieux cléricaux sympathisants, on a abandonné l'idée d'une opposition entre la théologie et l'économie. Jusqu'à présent, l'Église devait prendre parti contre le système, remplir son devoir prophétique. Mais le système ne change pas. Et d'ailleurs à qui adresser sa requête ? Le système est anonyme. Personne n'est responsable. Les analyses critiques ne fonctionnent que dans le circuit fermé d'une subculture, où auteurs et lecteurs se font plaisir, mais où les responsables de la réalité économique restent hors jeu.

L'entrepreneur est quelqu'un qui aime agir. Pourquoi ne pas faire appel à ses capacités et à sa bonne volonté ?

Il est curieux de constater que dans le débat — dans la mesure où débat il y a — entre économistes et théologiens, entre néo-libéraux et opposants à la globalisation, les acteurs du marché sont absents. On y oppose des idéologies, d'Adam Smith à Fukuyama ou Hayek, comme si ce marché-là existait. La réalité du marché et de ses victimes disparaît. Revenons à la réalité en étudiant la question d'une participation optimale des pauvres, et aux conditions qui, au niveau de l'organisation sociale, pourraient la concrétiser.

Analysons le fonctionnement de l'économie de marché et définissons à la fois ses lacunes et les possibilités qu'elle offre. Organisons l'espoir en proposant des changements concrets.

Nous proposons trois principes de base pour un large mouvement de contestation du « marché traditionnel » :

Premièrement, notre critique doit être étayée par des données précises, fondées sur une analyse approfondie de la situation. Les analyses globales non fondées sur des données concrètes concernant le fonctionnement du marché manquent leur objectif. Un slogan mal ciblé et dépourvu de fondements théoriques solides nuit à la crédibilité du mouvement et le détourne d'une critique légitime et justifiée. Cette analyse doit ensuite déboucher sur des perspectives concrètes, sur des propositions et enfin sur des actes engendrant des effets positifs pour le développement. Nous ne pouvons nous charger de tous les malheurs du monde, mais nous pouvons agir d'une façon responsable, visionnaire même, dans la mesure de nos capacités. Il n'existe pas de solutions miracles, néanmoins, sur des terrains concrets nous pouvons obtenir des résultats tangibles. C'est la somme de ces résultats qui fera la différence.

Deuxièmement, le mouvement doit reposer sur une base suffisamment large pour pouvoir obtenir les résultats escomptés. Le modèle d'action doit être fondé sur la participation. Il doit tendre à s'élargir et à offrir des possibilités d'identification. Les organisations à la tête du mouvement doivent être transparentes dans leurs actions et en rendre compte publiquement.

Troisièmement, le mouvement condamne la violence. Celle-ci n'est pas de mise dans une société démocratique. Les formes d'action doivent être non-violentes, ludiques et attrayantes. Une société humaine se fait par des moyens humains.

La dignité de la contestation est une valeur en soi.

CONCLUSION : COUP D'ŒIL SUR LE PASSÉ ET SUR L'AVENIR

Nous sommes en 2002. Alors que dehors un doux soleil automnal perce à travers les nuages, nous allons consacrer cette journée à l'évaluation de notre projet et nous allons réfléchir à la stratégie à suivre dans l'avenir. Ces dernières années, les choses sont allées très vite. L'ébauche du concept Max Havelaar, telle que nous l'avons conçue il y a seize ans, a débouché sur un mouvement social au niveau mondial. 253 groupements de producteurs en Asie, en Amérique latine, en Afrique et dans treize pays européens sont impliqués. Le chiffre d'affaires est de 64 millions d'euros. Outre le café, par lequel tout a commencé, le commerce équitable concerne aujourd'hui tout un assortiment de produits : le thé, le miel, le chocolat, les bananes, les jus de fruit et les vêtements.

L'heure est venue pour ses deux initiateurs de faire le point. Où en est le concept Max Havelaar ? Sommes-nous sur la bonne voie ? Souhaitons-nous modifier certaines choses et comment voyons-nous l'avenir du mouvement ?

Frans prend la parole.

« En considérant l'évolution du commerce équitable depuis la naissance de Max Havelaar, je conclurai que les "partenaires du Sud", comme nous nous appelons dans le jargon à usage interne, se sont mieux débrouillés que ceux du Nord. Nous avons obtenu beaucoup de choses.

Ici, au Mexique, nous produisons et vendons notre café et nous sommes en train de développer une nouvelle initiative : l'usine de vêtements. Dans d'autres régions et dans d'autres pays, les producteurs ont remporté de nombreux succès avec leur café et autres produits durables comme les bananes Oké. De plus, les producteurs ont pris des initiatives sur le plan économique, en particulier au niveau du marché local.

UCIRI parvient relativement bien à écouler son café sur le marché international. Au Mexique, la plus grande partie du chiffre d'affaires est réalisée dans les conditions du commerce équitable. Malheureusement, ce n'est pas le cas dans tous les pays. Une recherche de l'université d'Oxford a montré que les producteurs de café de Tanzanie n'écoulaient que 6 pour cent de leur capacité de production par les voies du marché équitable. Il en est de même pour les producteurs du Ghana qui ne vendent qu'un faible pourcentage de leur cacao au prix intégral. Heureusement cette situation n'est pas représentative de la situation générale. Ici, au Mexique, je pense que le commerce équitable compte 15 à 20 pour cent du volume des ventes pour l'exportation, avec quelques pointes vers le haut, comme dans le cas d'UCIRI.

Cependant, ces chiffres signifient que pour de nombreux producteurs, le commerce équitable n'a pas entraîné de changements fondamentaux. Tant que sur le plan de la quantité, le commerce équitable reste négligeable, les conditions de commercialisation avantageuses que propose Max Havelaar n'ont guère de signification pour les producteurs. Afin de fixer ce qu'un producteur gagne réellement, il faut faire la moyenne de ce qu'il obtient dans les conditions de vente traditionnelles et dans celles du commerce équitable. La moyenne de ces deux prix est pour la plupart des paysans encore trop basse pour leur permettre de vivre dans des conditions décentes et d'investir dans l'environnement, sans parler des producteurs qui, suite au manque de capacité d'écoulement du commerce équitable, restent entièrement sous le joug des lois du marché traditionnel.

Certes, nous avons remporté de nombreux succès, mais force est de constater que le volume du commerce équitable est encore si bas qu'on ne peut parler d'un impact économique réel à une échelle représentative. Les producteurs ne sont pas responsables de cette situation. Nous avons les capacités de produire davantage, mais les débouchés dans les pays consommateurs sont limités. C'est pourquoi je conclurai en disant : les producteurs ont mieux fait leur travail que le mouvement du commerce équitable en Europe.

— Tu as raison, réplique Nico, et j'aimerais bien comprendre pourquoi le commerce équitable n'occupe pas une place plus importante sur le marché.

— Eh bien, je vais te le dire. »

Frans dessine la carte de l'Europe sur son bloc-notes et remplit par pays les parts de marché. Les faits en disent long. La Suisse l'emporte avec la plus grosse part de marché. Suivent les Pays-Bas et le Royaume-Uni avec des parts de marché satisfaisantes. Dans le reste de l'Europe, la place qu'occupe le commerce équitable est faible ou insignifiante.

« Dans l'ensemble, les résultats sont maigres. Quelle en est la cause ? Nous connaissons l'histoire de TransFair en Allemagne. L'amateurisme a tout gâché et il faut recommencer. Les pays scandinaves devraient obtenir de meilleurs résultats. Dans le sud de l'Europe, il ne sera pas facile d'améliorer la situation, bien qu'en France et en Italie on observe une percée récente. Nous devons conclure, hélas, que le commerce équitable reste bien en deçà de son potentiel.

— J'aimerais pourtant en savoir plus sur la faiblesse des parts de marché en Europe. Considérons certains facteurs. »

Nico s'empare de la carte de l'Europe et envisage un instant de faire une analyse de la situation par pays, puis non. L'important n'est pas de désigner des coupables, c'est de comprendre les facteurs secondaires ayant joué un rôle.

Les organismes de labellisation seraient-ils restés trop proches de l'esprit « aide au développement » ? Imprégnés de la culture des ONG, ils n'ont pas été capables d'établir des relations avec des partenaires commerciaux. Nous ne sommes parvenus que partiellement à faire le lien entre le commerce équitable et celui des entreprises commerciales susceptibles de s'y intéresser. On constate dans nos rangs une certaine aversion pour le monde des affaires, ou peut-être tout simplement une grande ignorance de ce domaine. Pourtant ces contacts sont indispensables au succès de notre mouvement. Comme c'est le cas sur le marché traditionnel, ce sont les partenaires commerciaux qui devront développer le marché pour les produits du commerce équitable. Lorsque les organismes de labellisation prétendent jouer ce rôle, l'amateurisme l'emporte.

Dans d'autres cas, le choix des partenaires est responsable de l'échec, comme le montre le fiasco qu'a été l'introduction des bananes en Allemagne. Il est arrivé aussi que le morcellement finisse par affaiblir le marché des produits équitables. Les organismes de labellisation étaient satisfaits lorsqu'ils détenaient une liste impressionnante de bénéficiaires de licences. Or, sur ce genre de listes, on trouve des entreprises dont les motivations sont exclusivement opportunistes. Elles n'acceptent le label que par crainte de perdre des clients. Les entreprises qui n'ont pas l'intention d'investir dans l'accroissement de ce marché ne font que le freiner. Investir dans l'élargissement du marché nécessite une certaine échelle. Un marché trop morcelé manque de dynamique de croissance.

L'image du produit au label « commerce équitable » a été également déterminante. En achetant le café Max Havelaar, le consommateur ne s'attend pas à un produit de qualité. Ce label évoque même l'idée d'un produit de qualité inférieure. Cette idée n'est nullement justifiée. Selon les mélangeurs d'Albert Heijn, le café Honesta — le café d'Albert Heijn au label Max Havelaar — compte parmi leurs meilleures variétés. Dès le début, les produits Max Havelaar ont été confrontés à une image de marque négative. Bien que les coopératives de café soient parvenues, au cours des années, et grâce à une meilleure rémunération, à améliorer sensiblement la qualité de leur produit, on ne note pas de changements significatifs dans la façon dont elle est perçue par le consommateur.

De plus, ce problème a été renforcé par l'image du « petit producteur » suant eau et sang pour son produit. Le consommateur a donc été initialement motivé par l'envie d'aider les pauvres paysans, plutôt que par celle d'acheter un bon café. Le problème existe depuis dix ans et nous ne sommes toujours pas parvenus à trouver de solutions. Les études de marché ont montré qu'un groupe important de consommateurs connaît les produits Max Havelaar et l'idéologie dans laquelle ils se situent, qu'il sympathise avec les objectifs de l'association, mais ne les achète pas. Pour beaucoup, Max Havelaar est le label d'une cause plus que celui d'un produit.

Nous avons une idée assez claire de l'image que nous aimerions véhiculer. Cependant, malgré un certain nombre de modifications dans la présentation, nous ne sommes pas parvenus à remplacer l'idée de la bonne cause par celle de la qualité. L'achat des produits Max Havelaar ne devrait pas relever exclusivement d'un choix idéologique, du choix d'une minorité pour la bonne cause, mais de l'option d'une majorité pour la qualité : le café Max Havelaar a mûri dans les meilleures conditions, il a été cueilli de façon artisanale et on sent la différence ! Il faut mettre en avant la qualité du produit et cette qualité suppose, bien sûr, le respect des producteurs et de l'environnement. En d'autres termes : la qualité du produit implique le respect de l'homme et de la nature.

Frans soulève un autre sujet brûlant : les tarifs et le manque d'efficacité des organismes de labellisation.

Je crains que les frais de label ne freinent l'expansion du marché. Nous savons que certaines entreprises sont prêtes à payer un prix raisonnable pour le café, mais n'ont pas envie des complications et des frais qu'entraîne le label. Un certificat coûte cher. Cela s'explique en partie par le fait que les organismes de labellisation sont des organismes lents et bureaucratiques, qui appliquent des tarifs élevés. Le prix du label est calculé d'après celui du produit, ce qui fait augmenter inutilement le prix de notre café.

Le certificat de culture biologique pose également problème. Il est coûteux lui aussi et de plus, il devient difficile à obtenir. Le système de contrôle a été développé dans des bureaux en Europe et il est tout à fait inadapté à la situation des petits producteurs. Pour répondre aux critères sévères, il faut savoir bien lire, disposer d'un ordinateur et, à l'aide de photos satellites, déterminer la surface de production. Cette procédure, avec tout ce qu'elle comprend de paperasse, doit être renouvelée chaque année.

La plupart des paysans n'ont pas les moyens de parcourir un trajet aussi compliqué. Dans le *Centro de Estudios Campesinos,* nous avons formé un certain nombre de personnes pour remplir ces formalités. Cependant, chaque paysan doit être certifié personnellement, aussi petite que soit sa production. Il n'est pas possible d'obtenir un certificat pour la coopérative, alors que, au sein d'UCIRI, nous disposons d'un système de contrôle interne transparent. À l'heure actuelle, les paysans ont affaire à trois certificats différents : IMO pour la Suisse, Naturland pour l'Union européenne et USDA pour les États-Unis. Il faut donc renouveler chaque année trois procédures qui, de plus, sont coûteuses. Les tarifs des bureaux de certification correspondent, à la journée, à quatre mois de salaire pour une famille de paysans. L'année dernière, le coût de l'ensemble des certificats a été de 25 000 dollars pour UCIRI. Nous espérons remédier à cette situation par la mise en place de Certimex, un organisme national de certification.

Les frais de certification ne s'arrêtent pas là. En Europe, l'importateur, le fabricant et le magasin paient eux aussi le label EKO. La licence d'un produit est donc payée quatre fois, ce qui entraîne une augmentation du prix. Gérer toute la paperasserie liée à l'exportation requiert de nos jours les compétences d'un spécialiste. Nous nous en remettons à la firme Van Weely à Amsterdam. Sans cette aide précieuse, nous ne pourrions exporter un seul container de café biologique en Europe.

La certification bio est devenue une activité commerciale dont les entreprises s'arrachent les parts de marché. Elles n'ont aucun intérêt à ce qu'il soit transparent et facilement accessible. Le lourd appareil bureaucratique qui l'accompagne encourage la corruption. En attendant, les grands torréfacteurs rient sous cape. Tant que le marché marginal du café biologique fonctionne ainsi, ils n'ont rien à craindre, il ne représente aucun danger pour leurs parts de marché. Bien sûr, les paysans d'UCIRI sont convaincus de l'importance d'une garantie fiable et transparente pour le consommateur, sur l'origine biologique du café. C'est la procédure qui pose problème.

J'ai affaire au même genre de problème aux Pays-Bas. L'institutionnalisation et la primauté des intérêts personnels ne datent pas d'hier. Je te trouve d'ailleurs assez modéré dans tes propos. Dans le passé, je t'ai entendu parler de la « terreur » des bonnes intentions. Il est essentiel que les producteurs nous signalent ces problèmes et se sentent libres d'émettre des critiques. Il faut à tout prix éviter ce genre de déviances. C'est à vous, les producteurs, de faire contrepoids, afin de rectifier le tir.

Pour les certificats, il y a aussi le problème de la double certification : produit biologique et produit du commerce équitable. Prenons l'exemple des bananes Oké. Les deux labels entraînent, en effet, des frais supplémentaires et de nombreuses complications administratives. Je suis donc fermement convaincu de la nécessité d'intégrer les critères sociaux à ceux du label EKO. Ainsi, un seul label suffirait.

Les produits écologiques devraient répondre à un minimum de critères sociaux. Le programme de certification SAI (*Social Accountability International*) pourrait servir de point de départ. Les normes sociales sont importantes. Certes, la culture biologique respecte l'environnement, mais dans de nombreux cas, les paysans travaillent dans les conditions désastreuses propres aux pays du tiers-monde et sont tout aussi exploités que pour n'importe quel autre produit. Il n'est pas souhaitable que sur le marché deux sortes de produits se côtoient : ceux possédant seulement le label EKO, fournis dans le cadre d'un système d'exploitation des paysans et ceux possédant en plus le label Max Havelaar, garantissant des conditions de travail décentes. Cette situation serait déroutante pour le consommateur. De plus, nous laisserions passer une chance de stimuler le développement intégral durable. Les grosses compagnies bananières comme Dole, Chiquita et Fyffes vont, dans les années à venir, se sentir obligées de proposer des produits biologiques. Elles se contenteront du label EKO dont les critères ignorent l'aspect humain.

Au sein du mouvement pour le commerce équitable, les opinions divergent sur la question du label. Un courant s'oppose à l'intégration de critères sociaux dans le label EKO, car cela pourrait porter à confusion. EKO signifie biologique et Max Havelaar équitable. Si un produit répond aux deux critères, il doit avoir deux labels. Cette idée part du principe que le mouvement pour le commerce équitable fait figure d'autorité dans le domaine social et qu'aucun autre label ne peut revendiquer l'aspect humain. Je ne partage absolument pas ce point de vue. Nous voulons que les entreprises prennent conscience de leurs responsabilités dans tous les domaines de l'économie. Max Havelaar souhaite jouer un rôle dans cette évolution, sans toutefois en avoir le monopole.

Frans revient sur le rôle des producteurs : « Il faut qu'ils soient plus impliqués dans le marketing de leurs produits afin de mieux contrôler les zones de tensions. De plus, nous devons faire pression sur le mouvement du commerce équitable et sur les autorités pour mieux exploiter les possibilités du marché. D'après ce que j'ai compris, presque tous les pays européens ont formulé des objectifs nationaux en matière de culture biologique. Aux Pays-Bas, on aspire à 10 pour cent de culture biologique en 2010, l'Allemagne a mis la barre plus haut avec 20 pour cent. Les organisations de développement devraient exiger qu'un pourcentage de produits biologiques soit fixé pour les exportations issues des pays tropicaux comme le café, le thé, les bananes, les ananas et les mangues. Le mouvement pour l'aide au tiers-monde reste muet sur ce point. Pourquoi ne pas saisir une telle opportunité ? Solidaridad a fondé des entreprises de producteurs : AgroFair pour le commerce de fruits frais des Tropiques, et Kuyichi pour les vêtements. C'est une bonne chose, car ainsi les producteurs ont davantage prise sur le marché et suivent mieux son évolution. Twin Trading, compagnie britannique, a pris une initiative analogue. Elle importe avec succès le Café Direct sur le marché anglais, avec la participation des producteurs. Il est essentiel que les producteurs comprennent les mécanismes du marché et participent au choix des stratégies à suivre. Dans notre société, les entreprises occidentales sont omniprésentes. Les multinationales dominent tout, elles contrôlent l'ensemble de la chaîne de commercialisation : la production, la transformation, le transport et la vente. En fondant des organisations de producteurs, Solidaridad et Twin Trading tentent de renverser la vapeur. C'est le producteur du tiers-monde qui a voix au chapitre, il décide de la commercialisation de son produit. Cette formule est intéressante. Au Mexique, nous avons fait quelque chose de semblable, en développant une marque de commerce équitable pour le marché local. Elle s'appelle *Mercado Justo de Mexico*. On se demande d'ailleurs pourquoi, à l'époque, on n'a pas fait la même chose avec le café.

— Nous n'étions pas prêts, réplique Nico. Je me souviens très bien que le directeur de la maison de torréfaction Neuteboom, Jan Fokkinga, avait du mal à préfinancer sa participation au projet Max Havelaar qui venait de démarrer. À cause de la clause sur le préfinancement, il lui fallait verser d'un coup une somme importante. Il nous a alors proposé de nous vendre des actions, mais nous n'avons pas accepté. Solidaridad a fourni un crédit à la firme grâce à l'aide des congrégations religieuses. Pourquoi n'avons-nous pas accepté de devenir actionnaires ? Tout simplement parce qu'à l'époque l'idée nous semblait saugrenue. Le monde des actions n'était pas le nôtre. On nous reprochait déjà notre collaboration avec les entreprises et nos tentatives pour écouler notre café dans la chaîne des magasins Albert Heijn. Nous étions encore loin de l'idée d'une compagnie de producteurs dans le secteur du café. Mais les temps ont changé. À présent, l'idée m'intéresse. D'ailleurs, plusieurs producteurs de café ont déjà fait des propositions à Solidaridad dans ce sens. J'ai hâte de sauter sur l'occasion. »

UCIRI ne joue aucun rôle dans le commerce des bananes. « Où en sont les bananes Oké ? demande Frans.

— On ne peut comparer la dynamique du commerce des bananes avec celle du café. Sur le plan social, nous avons obtenu de meilleurs résultats. La part de marché des bananes équitables et biologiques est plus importante que celle du café. Les producteurs vendent 60 à 70 pour cent de leur volume de production d'après les critères du commerce équitable. Les bananes Oké ont un impact énorme dans ce secteur. On le voit aux réactions des concurrents. Alors que le magnat du café Douwe Egberts peut encore se permettre d'ignorer le phénomène Max Havelaar, la menace que représentent nos bananes pour les parts de marché de Chiquita et Dole est si grande que ces deux multinationales se voient forcées de compter avec nous. Elles ont d'ailleurs entrepris la production de bananes biologiques et adaptent progressivement le reste de leur production. Ces modifications ont beau être encore très modestes et les investissements pour la protection de l'environnement et l'amélioration des conditions de travail bien en dessous de ce qu'ils devraient être, c'est tout de même un début. Nous touchons là un aspect primordial : le commence équitable entraîne un changement dans les structures économiques dominantes. Il y a cinq ans, Fyffes, firme irlandaise, n'avait nullement l'intention de proposer des bananes biologiques et équitables. Aujourd'hui, elle entre sur le marché bio. AgroFair perd ainsi des clients, ce qui est regrettable en termes économiques, mais sur le plan social nous avons atteint notre but : pousser les entreprises traditionnelles à faire comme nous. Depuis une dizaine d'années, nous assistons à un changement de mentalité. Les entreprises ont appliqué le concept d'"entreprise responsable", l'approche dite des trois P : *people, planet, profit* (les hommes, la planète, le profit). Dans le cadre du développement, on a travaillé sur le concept *pro poor growth* (la croissance en faveur des pauvres). Le mouvement pour le commerce équitable devrait profiter de ce moment propice. Nous ne sommes pas des croisés, qui se contentent de crier que tout va mal en restant sur le bas-côté de la route, nous sommes les ambassadeurs d'un changement radical qui devra s'effectuer au niveau de l'économie. Il nous faut élargir notre marge de manœuvre.

— Pour cela, il faudra que les rapports de force changent. De plus, je me demande si tous les producteurs Max Havelaar seront en mesure de faire le pas. Pour certains paysans, les intérêts à courts termes — de meilleurs prix — représentent la motivation principale, parfois même la seule pour participer au projet Max Havelaar. Ces dernières années, nous avons vu à quoi ce genre de motivation pouvait conduire. Des coopératives ont vendu leur café de mauvaise qualité à Max Havelaar, en se disant que les torréfacteurs de Max Havelaar, bons bougres, ne protesteraient pas. Dans d'autres cas, les engagements quant aux livraisons n'ont pas été tenus, car il y avait eu des rentrées d'argent entre-temps, ou les paysans avaient réussi à vendre leur café sur le marché local, pour un prix provisoirement plus élevé. Les groupements de producteurs diffèrent beaucoup quant à leur engagement face aux questions sociales et écologiques. Le commerce équitable ne doit pas se limiter à des changements dans les rapports économiques, mais encourager aussi le respect de l'identité culturelle. Si on oublie cet aspect, le commerce équitable devient pour les paysans un simple instrument pragmatique garantissant leur survie, mais sans rayonnement pour le reste de la communauté. C'est pourquoi, au Sud, il faudra aussi agrandir le champ de manœuvre. Il nous faudra établir des relations avec les entreprises nationales qui sont prêtes à investir dans l'économie de leur pays. Nous devons aussi écouler nos produits sur le marché local. Au Mexique, nous avons lancé une marque de commerce équitable nationale et nous travaillons à une solide collaboration avec les entreprises et les institutions gouvernementales. »

Nico ajoute quelques points de réflexion concernant les partenaires européens.

En Europe, nous avons besoin d'une nouvelle dynamique. Sans ce nouvel élan, nous risquons de nous endormir. Je vois un certain nombre de défis. Je pense que nous allons bientôt entrer dans une troisième phase.

Durant la première phase, les organisations de commerce alternatif (ATO) ont vu le jour et la distribution des produits du commerce équitable a eu lieu au sein du réseau des Magasins du monde. Depuis, ces derniers ont prouvé leur capacité d'adaptation, ils n'ont cessé d'évoluer et représentent aujourd'hui une organisation de milliers de bénévoles. Certains ATO sont actuellement de véritables entreprises et ils vont jouer un rôle important dans un mouvement du commerce équitable dynamisé.

La deuxième phase a été marquée par la mise en place des organismes de labels et par la percée dans le système de distribution traditionnel. Le label du commerce équitable a permis d'augmenter le chiffre d'affaires et il a mis en place un marché européen des produits du commerce équitable.

La troisième phase sera marquée par une percée au sein de l'économie traditionnelle. Comment ? Il est encore difficile de le dire. Je pense que de nouvelles formes d'entreprises et de nouvelles alliances joueront un rôle décisif. La qualité et les prises de position, le profil des marques, vont gagner en importance. Les codes de conduite, entre autres, enclencheront une dynamique en faveur de la durabilité des secteurs des entreprises. Les moyens traditionnels qu'offrent la coopération, les programmes de coopération internationaux, l'aide au financement, comme ceux de l'Union européenne et de la Banque mondiale, accueilleront avec enthousiasme les projets innovateurs du commerce équitable et leur attribueront une aide plus structurelle.

Une nouvelle phase ne signifie pas que les institutions existantes n'aient plus un rôle à jouer. Les ATO ont prouvé leur capacité à innover et à s'adapter à des situations nouvelles. La plate-forme des Magasins du monde est un atout de taille. Où trouver un tel réseau de personnes motivées qui participe activement à la réalisation du principe : « *trade not aide* » (du commerce, pas d'aide) ? Il en est de même du réseau européen des organismes de labels pour les produits équitables et écologiques. Les résultats sont encourageants, nous avons marqué des points et la qualité de vie des populations du tiers-monde dépend de la continuité des modèles mis en place. Mais là aussi, il faudra innover. Il faudra accepter de voir naître de nouvelles initiatives, de plus grande envergure, peut-être. Si le label fait figure d'autorité au sein du mouvement, cela risque de le freiner à long terme. Il faudra faire un choix entre : Max Havelaar, label des entreprises ou label des consommateurs.

La nuance est peut-être difficile à saisir, mais la différence dans la façon de travailler est lourde de conséquences.

Max Havelaar est devenu un label des consommateurs renommé et pouvant compter sur un grand nombre de sympathisants. Les consommateurs concernés se donnent la peine de chercher leur produit dans les rayons, comme s'il s'agissait d'une marque. Or, Max Havelaar n'est pas une marque, mais un label. Les produits portant ce label sont proposés par des compagnies qui chacune lui attribuent une marque. Par exemple, le café de la firme Neuteboom s'appelle « Café Solidaridad », celui d'Albert Heijn « Café Honesta », un autre porte le nom : « Horizon ». Il en est de même des autres produits. AgroFair vend les bananes « Oké » et Menken vend les oranges « Solé ».

Pour le consommateur, la différence entre le label et la marque n'est pas toujours très claire. Or, une mauvaise expérience avec l'un des produits du label, et c'est tout l'assortiment qui perd la confiance du consommateur. Il ne tient pas compte de la différence entre marque et label. Ce phénomène freine la croissance du marché.

Un deuxième inconvénient : les compagnies, à cause de l'importance du label dans le choix du consommateur, ne développent pas leur propre image. Or, les marques jouent un rôle important dans la croissance du marché.

Au sein du marché traditionnel, le distributeur a la possibilité de se profiler face au consommateur grâce à sa marque, la qualité, le volume de son produit, mais dans le domaine du commerce équitable ce mécanisme ne fonctionne pas. La marque et le label Max Havelaar se confondent. Le consommateur ne fait pas la différence. Ainsi, un supermarché peut impunément changer de marque équitable, puisque le consommateur achète en fonction du label et non de la marque du distributeur. Cette situation particulière n'encourage pas ce dernier à investir dans sa propre marque. Il sait que cela ne changera rien à l'attitude du consommateur. Lorsqu'il renonce à cet investissement, la force motrice de la croissance du chiffre d'affaires disparaît. La part de marché des produits Max Havelaar stagne.

L'organisme de label va alors tenter de jouer le rôle de l'entreprise pour stimuler la croissance. Pour cela, il lui faut un budget marketing. Afin d'obtenir les moyens financiers nécessaires, il sera tenté d'augmenter le prix de la licence d'utilisation du label. De plus, il va essayer d'obtenir des subventions, prenant ainsi le risque d'instaurer une dépendance vis-à-vis de cette source de financement extérieure. Les projets de marketing de l'organisme de label ressemblent à une campagne de publicité commerciale dans laquelle la valeur du produit, et non sa valeur sociale, est mise en avant. Cette forme de publicité est d'ailleurs peu efficace, car le consommateur ne fait pas la relation avec le produit qu'il trouve dans les rayons. Pour y remédier, l'organisme de label va demander au distributeur d'accorder au logo Max Havelaar une place plus importante sur l'emballage. Ce qui a pour effet que les différentes marques disparaissent encore plus derrière le label. Pourquoi le distributeur continuerait-il alors à investir dans sa marque ? Max Havelaar ne peut enrayer cette tendance qu'en investissant davantage. Les moyens nécessaires finiront par manquer.

Pour l'image du commerce équitable, cette démarche présente un danger. Max Havelaar fait de la publicité pour un produit et ne transmet plus l'idée de développement durable. Le message perd son contenu politique et Max Havelaar risque d'être assimilé à n'importe quelle compagnie commerciale, alors qu'à long terme, c'est justement en misant sur l'esprit critique de ses consommateurs que Max Havelaar parviendra à renforcer et étendre sa position sur le marché.

Il doit exister une interaction entre le message social et le message commercial. Le premier se situe sur le terrain du label. Le deuxième appartient aux entreprises qui, elles, mettent l'accent sur la qualité du produit et l'image de la marque. La dialectique de la croissance est déterminée par une interaction optimale entre ces deux types de messages.

Si cette analyse est juste, le rôle fondamental de Max Havelaar est — parallèlement à la sélection et la certification des producteurs et le suivi du processus d'innovation sociale et environnementale — de transmettre le message du commerce équitable. Le label fonctionnera ainsi comme le label d'une société. Le label permet à celle-ci de développer un produit, contrôlé de l'extérieur, avec une valeur ajoutée de caractère social. Le consommateur sait que le label Max Havelaar lui garantit la transparence, le contrôle et l'efficacité de la commercialisation. La valeur ajoutée d'un produit au label Max Havelaar, c'est une valeur sociale.

Le label doit permettre aux compagnies de développer leur image. C'est grâce aux investissements que les compagnies feront dans le développement de leur propre marque que la roue motrice de la croissance se remettra en marche. Cela aura pour résultat le renforcement des entreprises qui se sont réellement engagées aux côtés du commerce équitable et la disparition de celles dont le choix était guidé par l'opportunisme.

« Si Max Havelaar ne se défait pas de l'image du label de consommateur, il ne pourra assumer son rôle à long terme. Le budget nécessaire manquera et le message pour le consommateur restera flou. La campagne actuelle "Pas besoin d'être un militant pour boire le café Max Havelaar" représente d'ailleurs le pire avatar. Il faut laisser aux entreprises le soin de développer leurs stratégies de vente. Cela signifie que les grands acteurs commerciaux ne demanderont le label que s'il ne va pas à l'encontre de leur culture d'entreprise. Si leur propre marque est trop dépendante d'un facteur extérieur, ils ne voudront pas courir les risques que cela comporte.

— Est-ce pour cela que Kuyichi n'utilise pas le label Max Havelaar ? demande Frans.

— Tout d'abord, il y a une raison pratique. Le label Max Havelaar a choisi jusqu'à présent de se limiter aux produits alimentaires et a refusé de s'étendre à d'autres produits. Il n'y a donc pas de règlement pour Kuyichi. De plus, la stratégie de marque et de qualité que Kuyichi a choisie n'entre pas dans le cadre de Max Havelaar. Kuyichi veut utiliser la valeur ajoutée de la marque d'un produit haut de gamme pour financer les coûts de revient engendrés par l'intégration des coûts sociaux et environnementaux de la production.

Si cette stratégie s'avère positive, nous pourrons envisager d'autres initiatives de ce genre. Dans l'industrie du vêtement de sport et de loisirs, par exemple, la marque est très importante. Comme je serai content le jour où nous pourrons faire concurrence à Nike, Reebok et Adidas et où nous pourrons ainsi faire pression sur ces compagnies pour qu'elles abandonnent leurs pratiques absurdes de sponsoring sportif pour des prix réels de production. En mettant au grand jour les pratiques scandaleuses de leurs ateliers de couture, leur image subira les contrecoups et les entreprises de vêtements seront bien forcées d'investir dans des conditions de travail plus humaines. C'est dans ce sens que le mouvement pour le commerce équitable doit s'engager.

Je vois de nombreuses possibilités dans ce secteur, comme la literie, les articles de bain et pourquoi pas des vêtements pour les employés des entreprises et des branches du secteur public respectueuses de l'homme et de l'environnement. La branche du cuir et de la chaussure demande une approche particulière. Le grand public ignore encore la pollution qu'entraîne le tannage des peaux dans les pays du tiers-monde.

Enfin, je pense que le mouvement du commerce équitable doit s'investir plus sérieusement dans son rôle de groupe de pression face aux entreprises traditionnelles. On constate, à l'heure actuelle, le développement sauvage de règles de conduite et de codes des entreprises. Il nous faut séparer le bon grain de l'ivraie, pour empêcher que la propagande ne voile les faits. Notre but est que les multinationales comme Douwe Egberts, Chiquita, Levi's et Nike adoptent une production durable. Nous avons encore du pain sur la planche.

— Je pense que nous sommes sur la bonne voie, mais je pense aussi à tout ce qu'il nous reste à faire. Comment développer le cadre institutionnel et les instruments nécessaires à cette dynamique ? Au Mexique, je tente de suivre ce qu'il se passe dans le monde de la coopération et du développement, et ce que j'y observe me désole. J'y constate une grande inertie et une pensée uniforme mortelle qui tue toute tentative d'innovation.

Les organismes privés se contentent de chercher à obtenir des fonds et un soutien pour les projets fondés sur des idées dépassées. On ne sort pas des sentiers battus et l'argent est devenu une obsession.

Pourquoi ne tentez-vous pas de promouvoir la méthode de Solidaridad ? Voilà un exemple d'innovation. Je suis persuadé que nous avons posé les premiers jalons. Nous devons contracter de nouvelles alliances et développer de nouveaux moyens. Je plaide pour de nouvelles formes de coopérations publiques et privées. Je

pense aux banques et aux entreprises qui nous donne-
raient accès à d'autres sources de financement. Nous en
avons besoin, car j'ai des doutes quant aux dons pour
les pays du tiers-monde. Dans le secteur économique,
ce flot d'argent provenant des dons, argent facile, a
des effets pervers. Il trouble la dynamique sociale et la
freine.

Pour ce qui est des nouvelles sources financières,
je pense à des crédits à des tarifs et dans des conditions
honnêtes, et à des fonds de participation. Solidaridad
devrait lancer cette idée. Des particuliers et des institutions pourraient y placer des actions qui, en tant que
fonds à risques, seraient investies dans le développement
des capacités de production des pays du tiers-monde.
Ainsi, le Sud disposerait de capitaux dans des conditions
réelles. Le nouveau modèle de l'aide au développement
doit être fondé sur le partenariat. La réciprocité et la
responsabilité de chacune des parties doivent être les
mots clés. Ainsi chacun peut jouer un rôle d'après sa
propre situation et contribuer ainsi au développement
durable de l'économie mondiale.

Cette approche à partir du secteur privé doit être
accompagnée de la pression des dirigeants politiques et des
mouvements sociaux. Ce n'est qu'avec leur soutien que
l'on pourra enclencher la dynamique dont tu viens de
parler.

Le commerce équitable n'en est qu'à ses premiers
pas. Nous avons encore beaucoup à faire. »

Frans van der Hoff et Nico Roozen se quittent comme
ils l'ont fait seize ans plus tôt : chacun avec un certain
nombre de tâches à réaliser. Nico va retrouver son bureau
dans les locaux de Solidaridad, Frans repart au Mexique
et, dans sa case aux murs de torchis, à Barranca Colorada,

il s'empressera de brancher son ordinateur portable. Chacun de son côté va se remettre au travail, dans un contexte différent, mais avec le même objectif : un partenariat Nord-Sud.

Pour connaître les activités de Max Havelaar, contacter :

En France   Max Havelaar France
41, rue Emile Zola
93107 Montreuil
Tél. : 01 42 87 70 21
www.maxhavelaarfrance.org

En Belgique   Aalststraat 7/11, rue d'Alost
B 1000 Bruxelles
Tél. : 33 2 213 36 20
www.maxhavelaar.be

En Suisse   Stiftung Schweiz
Malzgasse 25
CH 4052 Basel
Tél. : 41 61 271 75 00
www.maxhavelaar.ch

Au Luxembourg   Transfair Minka Luxembourg
13, rue de la Gare
L 5353 Oetrange
Tél. : 352 350 762

Au Canada   Transfair Canada
323 Chapel Street, 2nd floor
Ottawa, Ontario K1N 7Z2
Tél. : 1 613 563 33 51
www.transfair.ca

*Ce volume a été composé
par Nord Compo
et achevé d'imprimer en avril 2002
par **Bussière Camedan Imprimeries**
à Saint-Amand-Montrond (Cher)
pour le compte des éditions Lattès*

N° d'édition : 26035. — N° d'impression : 021716/4.
Dépôt légal : avril 2002.

Imprimé en France

ISBN : 2-70-962180-0